Ciganos e a Espiritualidade

Teorias e Práticas

NELSON PIRES FILHO

Ciganos e a Espiritualidade

Teorias e Práticas

MADRAS®

© 2021, Madras Editora Ltda.

Editor:
Wagner Veneziani Costa

Produção e Capa:
Equipe Técnica Madras

Revisão:
Neuza Rosa
Silvia Massimini Felix
Jerônimo Feitosa

Dados Internacionais de Catalogação na Publicação (CIP)
(Câmara Brasileira do Livro, SP, Brasil)

Pires Filho, Nelson
  Ciganos e a espiritualidade : teorias e práticas /
Nelson Pires Filho. -- 2. ed. -- São Paulo : Madras,
2021.

  ISBN 978-85-370-1192-8

  1. Ciganos 2. Espiritualidade 3. Umbanda
I. Título.

19-24647   CDD-299.672

Índices para catálogo sistemático:

1. Ciganos : Umbanda 299.672
Cibele Maria Dias - Bibliotecária - CRB-8/9427

É proibida a reprodução total ou parcial desta obra, de qualquer forma ou por qualquer meio eletrônico, mecânico, inclusive por meio de processos xerográficos, incluindo ainda o uso da internet, sem a permissão expressa da MADRAS Editora, na pessoa de seu editor (Lei nº 9.610, de 19/2/1998).

Todos os direitos desta edição reservados pela

MADRAS EDITORA LTDA.
Rua Paulo Gonçalves, 88 – Santana
CEP: 02403-020 – São Paulo/SP
Caixa Postal: 12183 – CEP: 02013-970
Tel.: (11) 2281-5555 – Fax: (11) 2959-3090
www.madras.com.br

O mundo gira e no giro do mundo civilizações se perderam até se tornarem lendas. Os ciganos continuam girando no mundo com o mundo, e, longe de se tornarem uma lenda, contam as lendas do mundo.

Homenagem Póstuma

É com carinho e saudades que ofereço esta obra ao
meu querido amigo e irmão **Seronia Vishnesvsky**, *que não está mais conosco, e agora alegra os céus, nos deixando muita saudade.*
Obrigado por tudo e toda alegria que nos deu durante todos esses anos de feliz convivência.

Taliêrto *Seronia Vishnesvsky*
Te avel Devlessa

Índice

Prefácil 13
Pronunciamento Cigano 17
Saudações aos Ciganos (Romá)...............................19
Parte 1 21
Sobre os Ciganos 21
Os Então Chamados Ciganos 25
    Bandeira Cigana...29
Das Famílias Ciganas..35
Do Casamento 37
Alguns Hábitos Ciganos..41
Vida Cigana...43
Os Ciganos e sua Natureza.......................................45
Quando Morre um Cigano 51
    A pomana 52
Algumas Lendas Ciganas 53
    Uma lenda sobre os ciganos e o tarô................53
Outra Lenda Cigana...55

A Lenda do Encantado do Arco-Íris 57
Oferenda ao Encantado do Arco-Íris 60
    Procedimento 61
    Evocação 62
    Uma curiosidade 63
    Superstições ciganas 67
Algumas Orações Ciganas 69
    Oração para o Deus dos ciganos 71
    Uma oração para pedir proteção a Deus 72
    Oração para pedir proteção para o
    trabalho e para a própria pessoa 73
    Oração cigana 74
    Ave-Maria 75
    Pai-Nosso 76
Alguns rituais ciganos – Prasnico 77
Santa Sara Kali 81
    Uma Lenda sobre Santa Sara Kali 81
    Oração a Santa Sara Kali 82
Algumas Comidas Típicas Ciganas 85
    Peixe de escama na brasa 85
    Sarmali ou sarma 86
    Uma Deliciosa Receita do Verdadeiro Civiaco 87
    Guibanitsa 89

Parte 2 91
Poemas e Trovas Ciganas 91
    Mudando um pouco o rumo 94

Os Ciganos e a Espiritualidade 95
Os Espíritos Ciganos na Religião de Umbanda 99
Alguns dos Incensos e suas Funções Astrais 105
    Sugestões especiais para oferendas 109
    Firmeza de ciganos 114
Oráculos Espíritos Ciganos 125
O Baralho Cigano 127
O Jogo de Dados Cigano 129
Magia Cigana 139
Práticas Magísticas 143
    Gráficos sagrados magísticos 148
    Energização do símbolo 148
    Energização nossa – após consagração 149
    Consulta para saber se a pessoa tem feitiço ou não 150
    Cortar feitiço 151
    Desânimo – mau humor/infelicidade 152
    Reenergização – cansaço –
    estresse – esgotamento mental 153
    Para amor 154
    Ganhar dinheiro 155
    Ganhar dinheiro fartura para família 156
    Receber dinheiro de alguém 157
    Saúde 158

Prefácio

Por Alexandre Cumino

"Filho, você quer trabalhar comigo, desenvolver-se e também ajudar outras pessoas?" Essas foram as palavras do espírito de uma velha cigana calon de Andaluzia, ao me convidar para trabalhar na Umbanda, em 1995.

Ela dizia: "Nós, ciganos, estamos na Umbanda porque foi a única religião que nos aceitou como somos. Entre nós há quem trabalha na direita e há quem trabalha na esquerda; temos nossos próprios 'guardiões e guardiãs'; nós nos vestimos colorido para lembrar sempre de cantar, dançar e ser feliz; não roubamos criancinhas, mas criamos as crianças abandonadas como se fossem nossas. O ouro era o único metal aceito como 'moeda' em qualquer lugar do mundo, por isso temos os dentes de ouro por herança para os filhos; somos livres como o vento, somos filhos das estrelas, fruto da terra, temos o fogo como sagrado a nos aquecer nas noites frias e rezamos para que Santa Sara Kaly nos bendiga por todo o sempre".

Muitas coisas mais vi, ouvi e vivi com os ciganos na Umbanda. Foi o Cigano Pedro Calon meu primeiro guia, mestre e mentor a dar consulta; com ele aprendi muito, assim como muito aprendi com o Cigano Manolo, um Guardião à esquerda.

Na Umbanda, por meio das entidades ciganas, despertei o amor e respeito ao povo cigano. Passei a procurar livros que pudessem me esclarecer quem são e de onde vêm os ciganos, aqui no mundo material, para entender a conexão com os ciganos astrais.

Então entendi que se faz muita confusão, muita gente se apresenta como Cigano sem ser; as pessoas confundem gostar da cultura com fazer parte dela. Conheci alguns ciganos e ciganas de clãs diferentes, mas pouca proximidade houve até que, em torno do ano 2000, meu amigo, irmão e mestre Rubens Saraceni me apresentou ao Dr. Nelson Pires.

Por conta do *Jornal de Umbanda Sagrada*, editado por mim e Rodrigo Queiroz (fundador do jornal), fui ao encontro do querido irmão Dr. Nelson, que me recebeu de braços abertos, com muito carinho e generosidade na Federação Guardiões da Luz. Ali, pela primeira, vez fui recebido na casa de uma família cigana e pude ver sua relação com seus filhos carnais e espirituais. Descobri um irmão, médium, sacerdote e Cigano. Eu me surpreendi ao vê-lo conversando com seus familiares em romanês, o que deveria ser natural. Ao longo dos anos, fomos nos conhecendo e eu mais uma vez tive o privilégio de estar próximo a um irmão de fé, que tem prazer em ensinar o que sabe de Umbanda e também o que pode ser dito de sua cultura cigana.

É muito difícil encontrar bons livros sobre a cultura cigana escrito por um cigano, pois poucos falam de sua cultura de dentro para fora; e muito mais raro é um cigano falar sobre Umbanda e espiritualidade. Entretanto, além de falar, este meu querido irmão, Dr. Nelson Pires, escreve e muito bem; sua capacidade de organizar o saber e apresentá-lo de forma simples e objetiva é algo de importância ímpar para quem pretende aprender sobre sua cultura.

Existem muitos livretos sobre ciganos; no entanto, material de credibilidade é escasso, assim como é difícil encontrar alguém que escreva sobre os ciganos no astral de forma clara e com propriedade. Por algumas questões como estas, pelo conteúdo único e riquíssimo, por nos conduzir com segurança em meio a um saber tão velado, podemos dizer que agora temos em mãos uma preciosidade de literatura.

Com linguagem simples e acessível, meu querido irmão Dr. Nelson Pires nos dá uma verdadeira aula de cultura e espiritualidade. Eu só posso agradecer e desejo que muitos, muitos e muitos mais umbandistas, ou não, tenham acesso e compartilhem este saber que vem da alma de um povo, refletido no coração do homem.

Sinto-me profundamente grato e honrado com o privilégio de tecer estas breves palavras como prefácio desta esta obra, tão importante para todos nós que temos amor pelo povo e pela cultura cigana.

Parabéns, meu estimado e amado irmão Dr. Nelson Pires. Que Santa Sara Kaly nos abençoe sempre!!!

Alexandre Cumino

Sacerdote de Umbanda, bacharel em Ciências da Religião, presidente do Colégio de Umbanda Sagrada Pena Branca, tutor da Umbanda EAD e editor do Jornal de Umbanda Sagrada

Pronunciamento Cigano

É com prazer que tenho a honra de manifestar-me sobre meu amigo e irmão Nelson Pires Filho, escritor de várias obras, tendo em vista que é precursor na preservação da cultura cigana, combatendo todo preconceito e discriminação que a comunidade recebe, conhecedor da importância da manutenção da cultura cigana em nosso país. Como vice-presidente da Associação da Preservação da Cultura Cigana (APRECISP), Nelson Pires trabalha incansavelmente em prol dessa organização que tem como premissa maior a melhor integração do povo cigano na atual sociedade moderna sem qualquer tipo de discriminação ou marginalização, e ainda auxiliar aqueles menos favorecidos a viverem com maior dignidade, através de medidas que facilitarão a convivência de nossos irmãos nos dias de hoje, como por exemplo ter acesso aos órgãos governamentais, para obtenção de documentos como R.G, CPF, Título de Eleitor, etc. E por intermédio de Nelson Pires conseguimos oferecer amparo e regularização das atividades desenvolvidas pela comunidade com a possibilidade de aprender e aperfeiçoar nossas atividades junto a instituições regulares e que prestigiem profissionais como nós, saindo da marginalidade e entrando no reconhecimento profissional, cercado de direitos, deveres e dignidade através da geração de conhecimento.

Tenho o privilégio de ter a convivência, como amigo e irmão de (moro prall) Nelson, de que esta obra e outras que provavelmente virão sejam sempre o sucesso que foram as demais obras já lançadas e que em muito colaboraram com aqueles não afeitos à nossa cultura. **Farde Estephanovichil**, jornalista e bacharel em Direito. Presidente da Associação da Preservação da Cultura Cigana **(APRECISP) www.aprecisp.com.br**

Saudação aos Ciganos (Romá)

SHAVALÊ ROMALÊ KUMPANYA.
ROM SHAVÊ ANDA SA O BRASIL
AY PA SA E LUMIA, PATSHIV TUMENGUÊ
MANDAR
TE AVEM BHÁRTALÉ CONDGINAVELÁ
KADY KHNISKA
ZOR AY BAHR SHAVORÊNGUE

Nelson Pires Filho

Parte I

Sobre os Ciganos

Falar sobre o povo cigano, suas magias e seu encanto natural é um grande privilégio e, antes de tudo, uma grande honra. É, contudo, uma tarefa que se reveste de muita responsabilidade, tendo em vista que o material disponível não é farto, é de acesso restrito.

Desta feita, como nosso trabalho tem o condão de promover a tentativa de esclarecer apenas alguns pontos culturais sobre o povo cigano e suas famílias, aproveita-se também esta oportunidade para diminutamente falar sobre alguns aspectos magísticos e espirituais, sem, contudo, causar qualquer constrangimento ao objetivo pretendido, fazendo-o de maneira separada e deixando claro o que ocorre na vida do povo normalmente e no que se depreende de forma mística, passando por algumas de suas lendas e comidas típicas, assim como algumas dificuldades enfrentadas ao longo dos séculos e, ainda excepcionalmente, por seu lado magístico e espiritual, lado esse de grande interesse, tendo em vista a aura de mistério que os envolve, sem contar a grande contribuição cultural que prestou ao mundo, tanto nos hábitos quanto na culinária, dança, música, arte e exatamente na forma simples e complexa ao mesmo tempo de lidar com a sorte e a previsão na vida das pessoas, largamente conhecida socialmente. Acaba parecendo-nos desta forma de menor dificuldade nossa tarefa, bem como discorrer timidamente por aspectos pouco divulgados e de grande importância para uma compreensão melhor a seu respeito.

O povo cigano – antes de mais nada se faz necessário esclarecer – está inserido na mesma categoria de qualquer outro povo, tratando-se de uma etnia clara e que mantém seus próprios costumes e tradições, bem como sua própria música, arte, culinária, idioma, bandeira, etc., não se confundindo com algumas crendices antigas que os tinha como grupos à parte da sociedade mundial. Não se trata o povo cigano de uma religião ou de grupo ocultista como se via antigamente, muito menos de bruxos ou ladrões de crianças, mas de um povo que mantém sua forma e conteúdo definido há seculos. Tanto é assim que vamos encontrar o aspecto religioso das famílias ciganas bem definidas através do mundo, encontrando, como em qualquer outro povo, ciganos católicos, evangélicos, espíritas, e assim por diante, seguindo as tendências naturais de suas famílias e também locais.

Entretanto, não se pode adentrar ao aspecto pretendido sem antes fazer uma breve e rápida passagem pelo que se pode demonstrar desse maravilhoso povo, por meio das pesquisas já realizadas e de nossa vivência pessoal e familiar.

Nossa definição de **povo** é: conjunto de indivíduos que falam a mesma língua, têm costumes e hábitos idênticos, afinidade de interesses, uma história e tradições comuns.

De **sociedade**: conjunto de pessoas que vivem em certa faixa de tempo e de espaço, seguindo normas comuns e que são unidas pelo sentimento de consciência do grupo (comunidade).

De **nômades**: povos que não pertencem a determinado país e vagueiam sem residência fixa.

Tais definições, por si só, estão longe de nos informar sobre a sociedade cigana.

Durante séculos, criou-se certa aura de mistério em torno desse povo nômade, talvez pela incerteza de sua origem. Sabe-se tão somente que, desde os tempos remotos, em qualquer parte do mundo podiam ser encontrados. "De onde vieram?", perguntam-se as pessoas de todas as nacionalidades.

De norte a sul, de leste a oeste do planeta, onde houver possibilidade de vida, lá estão eles com suas famílias, diga-se de passagem, numerosas.

De maneira surpreendente, atravessam fronteiras. A cada conquista fincam sua bandeira; no entanto, não tomam posse da terra. Não consta nos registros históricos que tenham um dia travado luta armada pela obtenção de direitos territoriais. Ainda assim, conquistaram o mundo com sua magia e encanto.

A explicação sobre a origem do povo cigano, que data de alguns milênios atrás, tem sido objeto de sofrimento e conflito entre seus pesquisadores mais ousados, exatamente pela imensa falta de material a respeito e pelo agregamento sigiloso que mantêm sobre sua história e seus costumes.

A cultura cigana é ágrafa, ou seja, transmite-se oralmente. É um povo fechado em seus mistérios e possui idioma próprio de identificação e comunicação, o romanês, romano ou romani, que por obra de sua peculiaridade não possui grafia própria a não ser aquela que é escrita da mesma forma como é pronunciada, tendo em vista o alastramento de seus clãs e a absorção dos idiomas locais por seus integrantes, ficando fácil a comunicação verbal como instrumento principal.

É fundamental que se lance a semente, pois o que está escrito está definitivamente no orbe terrestre. Alguns pesquisadores remontam a origem do povo cigano a dois ou três milênios antes de Cristo e acreditam em um início de maior número na Índia. Outros atribuem-na ainda ao Egito e, em seguida, às diversas ramificações acontecidas pela Europa em geral.

Os Então Chamados Ciganos

De acordo com Frans Moonen, a história atribuída aos que atualmente conhecemos pelo nome de "ciganos" não tem mais do que alguns séculos. Um dos documentos mais antigos é o de um grego, segundo o qual, no ano de 1050, o imperador de Constantinopla, agora Istambul, na Turquia, para matar uns animais ferozes, pediu a ajuda de adivinhos e feiticeiros chamados *adsincani*. No início do século seguinte, encontra-se referência a domadores de animais, especialmente de ursos e cobras, e a pessoas leitoras de sorte e que previam o futuro, que eram chamadas *athinganoi*. No século XIII, o patriarca de Constantinopla chama a atenção do clero contra adivinhos, domadores de ursos e encantadores de cobras e solicita que não seja permitida a entrada desses *adingánous* nas casas, porque eles ensinavam "coisas diabólicas". É provável que tenham sido antepassados, o que não quer dizer que fossem os únicos, dos indivíduos hoje genericamente conhecidos como "ciganos" e, neste caso, já estariam na Turquia pelo menos desde meados do século XI.

Da Turquia para outros países balcânicos foi apenas um pequeno passo. É sabido que muitos grupos migraram para a Grécia. Em 1322, um frade franciscano, de passagem pela ilha de Creta, escreve sobre indivíduos que viviam em tendas ou em cavernas e eram chamados *atsinganoi*, nome então dado aos membros de uma seita de músicos e adivinhadores que nunca paravam mais do que um mês em um mesmo lugar. Depois disso, muitos outros viajantes europeus, mercadores ou peregrinos a caminho da Terra Santa, observaram a presença desses indivíduos nos arredores do porto marítimo grego de Modon, atualmente Methoni, então colônia de Veneza, onde trabalhavam como ferreiros e sapateiros.

A partir do início do século XV, esses "ciganos" migraram também para a Europa Ocidental, onde quase sempre afirmavam que sua terra de origem era o "Pequeno Egito". Mas sabemos tratar-se, com certeza, da então denominação de uma região da Grécia, mas que, pelos europeus da época, foi confundida com o Egito, na África. Por causa dessa possível origem egípcia, passaram a ser chamados "egípcios" ou "egitanos", ou ainda *gypsy* (inglês), *egyptier* (holandês), *gitan* (francês), *gitano* (espanhol), etc. Mas, sabemos que alguns grupos se apresentaram como gregos e *atsinganos*, razão pela qual também ficaram conhecidos como *grecianos* (espanhol), *tsiganes* (francês), *ciganos* (português), *zingaros* (italiano), etc.

Na literatura, a esse respeito ainda existem outras denominações que em nada lembram a suposta origem egípcia ou comprovam a origem grega. Na Holanda, por exemplo, a denominação inicial de *egyptier* desaparece a partir do século XVI e utiliza-se apenas a nomenclatura *heiden* (pagão), que era então comum na Alemanha. Na França, ficaram conhecidos também como *romanichel*, *manouches* ou *boémiens*. Em vários países, foram confundidos com os tártaros, mongóis da Sibéria e da Ásia Central. Todos esses termos foram denominações genéricas que os europeus, naquele tempo, deram a esses misteriosos e exóticos imigrantes. Não temos constatações de como os ciganos se identificavam.

Conforme se vê, a origem deles sempre foi um grande mistério e, por isso, existem ainda hoje as mais diversas lendas e fantasias. Somente no século XVIII o assunto começou a ser discutido com mais seriedade, quando os linguistas concluíram que os ciganos deveriam ser originários da Índia. As provas linguísticas surgiram por acaso em 1753 quando, em uma universidade holandesa, um estudante húngaro descobriu semelhanças entre a língua cigana de seu país e a falada por três colegas indianos. Constatou-se assim um evidente parentesco entre as línguas ciganas e o sânscrito. A teoria da origem indiana das línguas ciganas seria divulgada somente anos depois na Alemanha, por Christian Buettner em 1771, por Johann Ruediger em 1782 e por Heinrich Grellmann em 1783, sendo este o mais conhecido dos três.

Grellmann criticou primeiro as teorias linguísticas até então existentes sobre a origem das línguas ciganas, principalmente aquelas que falavam da descendência egípcia. Depois, fez uma análise de quase 400 palavras e constatou que, de cada 30 palavras ciganas, 12 a 13 eram de origem *hindi*, uma língua derivada do sânscrito. Apesar de reconhecer que ainda existiam falhas em seu trabalho, acreditou que a origem indiana tinha sido suficientemente comprovada. Na segunda edição de seu livro, Grellmann cita também outros cientistas que, na mesma época, tinham chegado a conclusões idênticas.

Desde então, a origem indiana nunca mais foi colocada em dúvida e linguistas posteriores apenas têm acrescentado mais dados comprobatórios, restando hoje apenas dúvidas sobre em que época ou épocas, e em que parte ou partes da Índia essas línguas eram faladas, admitindo-se que tenha sido a região noroeste da Índia (atual Paquistão), por volta do ano 1000 da Era Cristã.

Fraser, contudo, lembra que a linguística histórica não pode determinar a origem racial e étnica dos indivíduos que falavam romanês. Não se pode ter certeza de que grupos ou povos são racialmente aparentados apenas porque falam línguas similares, ou seja, essas semelhanças linguísticas podem significar também que os então conhecidos como ciganos, durante muito tempo e por motivos ainda ignorados, viveram na Índia, sem ser e nunca ter sido indianos, ou que tiveram contato com indianos ou não indianos que falavam o *hindi*, mas fora da Índia.

Por isso, as possíveis provas linguísticas precisam ainda de comprovações complementares, sejam elas culturais, raciais, ou de outra natureza. Não faltam autores que apresentam supostas provas culturais, citando semelhanças entre costumes ciganos e indianos, da mesma forma como outros adeptos da origem egípcia, que descobriram semelhanças com a antiga cultura egípcia da época dos faraós. Quem busca, sempre encontrará algumas igualdades nas culturas de dois povos diferentes e que viveram ou vivem geograficamente distantes. Elementos culturais, no entanto, podem ser transmitidos também por via indireta, sem contato direto com os povos que os inventaram e também podem ter origens independentes.

Quanto a isso, Fraser cita o caso da Grécia, onde, na década de 1980, a TV apresentou um documentário em que era mostrada a origem indiana dos ciganos.

Por força de origem, dividem-se em grupos e subgrupos perfazendo seus diversos clãs que, impropriamente, em nossa modesta opinião, alguns chamam de tribos. Estão espalhados por todo o mundo e é certo que, como mais conhecidos, encontraremos no Brasil cinco deles mais presentes: lovara, moldovano, rhorahano (hohraranó), kalderash, matchiwaiya, entre outros.

Mantenedores intrépidos de seus costumes e tradições, passam oralmente seus conhecimentos, origens e mistérios por intermédio dos mais velhos aos mais novos, que devem desde a infância familiarizar-se com suas raízes, amá-las e mantê-las sempre vivas e em sigilo.

Nômades por excelência, carregam por onde vão a herança recebida. Sem apego a sentimentos de raízes locais, mantêm como pátria a tradição que os acompanha desde o nascimento.

E assim foram os ciganos conquistando pessoas, nações e espaços com seus encantos e costumes que, em meio à dificuldade de adentrar ao seu mundo, sempre foram objeto de muita curiosidade por parte das pessoas em geral.

Ao longo dos séculos, foram vítimas de grande perseguição e preconceito, chegando a acontecimentos cruéis que muito marcaram seu povo, o que sem dúvida acabou por retrair mais ainda esse povo diante da sociedade mundial, pois foram confundidos com pessoas de má índole e até de enganadores; foram perseguidos e vítimas de grande preconceito. Entretanto, de modo geral, seus hábitos conhecidos sempre provocaram admiração.

Portadores de seu próprio idioma e bandeira, jamais cruzaram o mundo na intenção de estabelecerem-se ou conquistarem terra, constituindo-se em um povo pacífico e festeiro.

Bandeira Cigana

A bandeira cigana foi instituída como símbolo internacional de todos os ciganos do mundo em 1971, pela International Gypsy Committee Organized, no First World Romani Congress (Primeiro Congresso Mundial Cigano), realizado em Londres.

Seu significado:

A roda vermelha no centro simboliza a vida, representa o caminho a percorrer e o já percorrido; a tradição como continuísmo eterno; sobrepõe-se ao azul e ao verde, com seus aros representando a força do fogo, da transformação e do movimento.

O azul:

Simboliza os valores espirituais, a paz, a ligação do consciente com os mundos superiores, significando a libertação e a liberdade.

O verde:

Representa a mãe Natureza, a terra, o mundo orgânico (subterrâneo), a força e a luz do crescimento vinculado às matas e aos caminhos desbravados e abertos pelos ciganos. Simboliza o sentimento de gratidão e respeito pela terra, o que ela nos dá, de preservação pela Natureza. Representa, também, a relação de respeito por tudo que ela nos oferece, proporcionando a sobrevivência do homem e a obrigação de ser respeitada por ele, que dela retira seus suprimentos, devendo mantê-la protegida.

Filhos da terra e da Natureza, desde há muito habitam suas tendas e fazem de seus acampamentos suas verdadeiras cidades; de gênio forte e de grande sabedoria, mantêm uma sociedade toda especial e independente do resto da Terra. Espalhados pelo mundo e mantendo-se de forma especial, acabam, por consequência, também envolvidos nas particularidades locais de cada nação, até mesmo adotando regras e costumes locais que muitas vezes contrapõem-se aos seus próprios hábitos, sem contar que, por razões lógicas, acompanham a evolução do mundo moderno. Entretanto, o fato de não abandonarem suas raízes os mantém socialmente presentes, como os manteve até hoje. Claro, que se isso não fosse fato, se essa união não existisse, não teríamos mais ciganos. O que acontece, por razões óbvias, é que as práticas tradicionais têm perdido espaço entre seus clãs e isso se deve à vida sedentária e atribulada e, também, à mistura de ciganos com os não ciganos em seus enlaces familiares. No passado, por razões regionais, populacionais e tantas outras, era possível se manter maior controle e censurabilidade, muito embora a predileção sempre tenha sido a união entre ciganos. Nunca houve uma restrição radical de ordem grave na união com os *gadjes*, simpáticos aos povos ciganos e que, por força da união, acabavam por se tornar parte da família. É certo que com dificuldade, porque pelas próprias tradições e costumes não havia como se encontrar o espaço histórico necessário para a participação efetiva daquela sociedade.

Vítimas de perseguição e injustiças, destaca-se entre elas a ocorrida na Segunda Guerra Mundial, na qual milhares de ciganos foram recolhidos aos campos de concentração e desapareceram. Muito embora não se tenha dados fidedignos dos números, acredita-se que muitas famílias de ciganos tenham sido vítimas de desaparecimento na ocasião, aliás fato esse do qual não se conhece o motivo.

Por isso, consagrou-se oficialmente, durante o Primeiro Congresso Mundial Cigano, como o Hino Internacional dos Ciganos uma adaptação feita em uma canção popular cigana dos países europeus, com versos inspirados nos ciganos que foram reclusos nos campos de concentração durante a Segunda Guerra Mundial, de autoria do Rom iugoslavo Jarko Jovanovic, de nome DGELEM, DGELEM. A letra segue em romanês e em seguida traduzida para o português para conhecimento de seu conteúdo. A versão nova foi dada por Seronia Vishnevsky (lovari).

Dgelem, Dgelem

Dgelem, Dgelem lungone dromentsa
Maladjilem bhartalé romentsa

Ai, ai, romale, ai shavalê (bis)

Naís tumengue shavale
Patshiv dan man romale

Ai, ai, romale, ai shavalê (bis)

Vi mande sas romni ay shukar shavê
Mudarde mura família
Lê katany ande kale

Ai, ai, romale, ai shavalê (bis)

Shinde muro ilô
Pagerde mury luma

Ai, ai, romale, ai shavalê (bis)
Opré Romá
Aven putras nevo dromoro

Ai, ai, romale, ai shavalê (bis)

Tradução para o português:

Caminhei, caminhei longas estradas
Encontrei-me com romá (ciganos) de sorte

Ai, ai, ciganos, ai, jovens ciganos,

Obrigado, rapazes ciganos,

Pela festa louvor que me dão

Eu também tive mulher e filhos bonitos

Mataram minha família

Os soldados de uniforme preto

Ai, ai, ciganos, ai, jovens ciganos,

Cortaram meu coração

Destruíram meu mundo

Ai, ai, ciganos, ai, jovens ciganos

Pra cima Romá (Ciganos)

Avante vamos abrir novos caminhos

Ai, ai, ciganos, ai, jovens ciganos!!!

    Dessa forma, ao longo dos tempos, a admiração e o carinho pelos ciganos, por seus costumes e comportamentos cerimoniais passaram a acontecer por todo o mundo, desfazendo o conceito de que seriam nômades de pouca credibilidade. É certo que estudar suas práticas passou a ser uma constante, mas não é do agrado da maioria dos grupos e dos clãs ciganos, principalmente quando se utilizam delas para incorporá-las a práticas de sociedades não ciganas e que, na maioria das vezes, acabam por não estarem corretas.

    Muitos enganadores, ao longo da história, tentaram passar-se por ciganos com a finalidade de conseguir lucros com falcatruas, e isso acabou por recair naquele povo dedicado aos seus costumes e rituais próprios. E até hoje, em todo o mundo, é provável encontrar pessoas não ciganas aproveitando-se para enganar outras que, da boa-fé, muitas vezes no auge de suas necessidades e em meio a grande admiração pelo povo cigano, acabam sendo vítimas de enganadores, que se dizem da mesma origem e conhecedores de costumes e dons ciganos. Gostaria de saber se, na época das perseguições e dos grandes problemas por que passaram os ciganos, essas pessoas se nominariam ciganos e se identificariam como detentoras de seus costumes e dons. Fica a pergunta com carinho.

Embora atualmente – por causa da modernidade, que de certa forma também atingiu as famílias ciganas – muitos ciganos unam-se em matrimônio com não ciganos, fica difícil manter a tradição como nos idos tempos, por razões obvias e por ser impossível exercê-la sem o sangue cigano nas veias e sem história em seu passado e em seus antepassados.

Das Famílias Ciganas

A família constitui a estrutura basilar de toda e qualquer sociedade. Assim, os ciganos têm em cada família a esperança e a força de sua continuidade, bem como na união entre elas, construindo sempre a continuidade, com o prosseguimento da tradição e a perpetuação do povo cigano.

Por isso, preserva-se com garras fortes os matrimônios ciganos, que têm rituais próprios, não aprovando o relacionamento extramatrimonial ou mesmo o concubinato.

Procuram agir com discrição em público, não se expõem marido e mulher de maneira contrária aos seus hábitos, acreditando que o valor a ser resguardado entre eles deve estar presente na privacidade de cada casal, preservando até mesmo qualquer tipo de comportamento que possa estimular algum comentário desairoso contra seu povo, produto da maledicência humana.

Na sociedade cigana, o homem é o braço forte e representa a liderança geral do clã; contudo, a mulher, embora tenha um espaço diminuído e de importância muito menos favorecida nesse aspecto, é tratada com todo o respeito, levando a ternura. A grande missão da maternidade é trazer ao povo cigano, pela procriação, a prosperidade e a perpetuação da raça por meio da geração de novas crianças ciganas. É a grande Guardiã Cigana dos costumes, conselheira e responsável pela preservação e continuidade do povo cigano. Deve estar sempre diligente e tratar de suas obrigações caseiras com afinco, com o dever de obediência presente, aprendendo o manuseio das cartas, da leitura das mãos, da borra do café e, principalmente, dançar muito bem, sabendo e conhecendo a realização de toda a ritualística e cerimoniais ciganos, bem como os preceitos que precisam ser seguidos por seu povo, tornando-se uma *expert* em suas comidas típicas.

Todos esses atributos, além de valorizá-la como mulher e colocá-la em situação de dever cumprido para com sua comunidade, na medida em que melhor executá-los, traz um valor muito mais acentuado no momento de casar-se, elevando desse modo invariavelmente seu dote, que é pago pelo pai do noivo a seu pai no dia do casamento cigano. Esse dote hoje existe mais de forma simbólica, diante do rigor de antigamente, pago em *galby* (moeda de ouro).

Do Casamento

    Antes da celebração do casamento entre ciganos é realizada uma festa para o futuro sogro da moça prometida para aquele compromisso. Uma vez concretizados os laços matrimoniais e aceitos como prováveis casados no futuro, ela receberá do prometido marido um *galby*, que deverá usar como sinal de prometida, até a consumação do casamento.

    Normalmente, a festa de casamento durava até três dias, hoje dura em torno de dois dias. Mantendo uma regra geral entre os clãs e famílias dois casais como padrinhos, um de cada noivo.

    Quando termina a primeira noite dos noviços, as ciganas mais velhas promovem a constatação da virgindade ceifada, mostrando o lençol com vestígios do rompimento do hímen à comunidade, que, uma vez satisfeita, prossegue na festa.

    A mulher cigana passará a residir na casa dos sogros por um período aproximado de um ano ou até adquirir imóvel próprio, devendo obediência total aos sogros e servindo ao sogro como a um pai, bem como aprendendo com a sogra tudo sobre seu marido e os afazeres e costumes daquela família dentro das tradições em geral.

Além de todos esses deveres, a mulher cigana também precisa ser preferencialmente bonita e possuidora de atrativos especiais.

Fato de muita importância é que, ao exercer seus atrativos de beleza e sensualidade, não deverá jamais fazê-lo por meio de seu corpo, mas, sim, pela forma com que dança e com as expressões alcançadas por seu rosto e gestos reservados. Também pela beleza de suas roupas, sempre muito coloridas, representando bastante alegria. Decotes ou vestimentas para mulheres que mostrem o corpo são por tradição repugnados pelo povo cigano. Elas devem manter o corpo em total resguardo. Tão elevada é essa postura, que a constatação da virgindade na noite de núpcias deve ser comprovada pelas famílias e pela matriarca do clã, sob pena de se chegar ao extremo da violência. E, por outro lado, a demonstração da honradez é fruto de dois ou três dias de festa, porque mais uma família se forma, sendo o ponto alto do casal o nascimento da criança cigana, que deverá ser a condutora das raízes pelo tempo afora.

O bebê cigano, quando nasce, é motivo de festejos e de grande alegria. A mulher cigana quando se encontra grávida é alvo de toda atenção e é preservada por todo clã cigano, devendo ser mantida sob vigilância e cuidados especiais, não podendo ver ou ouvir fatos desagradáveis, estar em lugares que sejam feios, até mesmo ver máscaras ou fotografias feias. Ela deve sempre se manter bonita (*chukar*), alegre e de bom humor, pois os ciganos entendem que a mulher gestante cigana partilha seu próprio corpo e sua alma com o corpo e a alma da criança que vai nascer, completando-a. Na verdade, o filho que está gerando é também da família e do clã cigano. Desse modo, quando nasce o bebê, no momento de sua primeira mamada, a mãe cigana lhe sopra no ouvido seu primeiro e mais importante nome, que ninguém fica conhecendo e que deverá levar para o túmulo consigo. Esse nome, nem mesmo o pai fica sabendo. Os ciganos entendem que dessa forma a criança fica protegida das tentações dos demônios, dos duendes e dos maus espíritos. Acreditam que quando um mau espírito chama pelo nome de alguém ou de uma criança e esta olha em sua direção quando ouve o nome que está sendo chamado, fica então com sua defesa destruída. Assim, como os ciganos não conhecem seu primeiro e legítimo nome, ficam preservados desses males, estando sempre protegidos. Esse nome somente deverá ser usado pela mãe nos momentos de muita dificuldade daquela criança, fazendo suas orações para ajudá-la, por ser um nome completamente místico e somente reconhecido por ela (mãe) e pelo universo místico. Em seguida, nos festejos, é lançado seu segundo nome, que é o nome pelo qual a criança será reconhecida pelo clã e por seu povo e assim será chamada em todo o mundo e, finalmente, receberá seu terceiro nome, que é aquele cuja sociedade e a nação onde viva seu clã o conhecerá, isto é, seu nome social e de identificação pela sociedade em geral, que lhe trará os deveres e direitos como cidadão no país onde estiver. Logo em seguida, o bebê toma seu primeiro banho que é preparado com água, vinho, moedas de ouro e joias.

O regime doméstico cigano é matriarcal, ou seja, as mulheres, como as mães, tias, avós e irmãs mais velhas, são as que educam os filhos e ensinam tudo o que precisam saber. Quando necessário, aplicam o castigo doméstico às crianças; o pai cigano nunca pune os pequeninos. Para a família cigana, a identidade só sobrevive pela autoridade.

Entre os ciganos, a prostituição é falta grave e rigorosamente punida. Nessa sociedade existem suas próprias regras e leis, que são julgadas por seus próprios tribunais, ostentados por seus mais velhos, cujo nome atribuído é *chris-romani* e que deve ser instruído e falado totalmente em romanês, o idioma próprio dos ciganos, e composto por homens. Quando a acusada for uma mulher, algum homem falará por ela aos componentes dos tribunais, que são compostos de várias famílias e clãs, para não haver diferenças e também para tornar conhecido todo o assunto tratado, fazendo com que dessa forma a justiça seja feita e sua decisão acatada e divulgada entre os clãs naturalmente, para que não haja risco de enganos ou falta de publicidade da decisão. Na maioria das vezes, é necessário o acusado arcar com as despesas dos prováveis danos causados, podendo chegar mesmo a multas pesadas que deverão ser pagas em *galbys*.

Alguns Hábitos Ciganos

À mesa, alimentam-se em primeiro lugar os homens e em seguida as mulheres e as crianças.

É importante lembrar que quando a dança for masculina, somente homens participam, denotando firmeza, alegria, altivez e muito preparo físico, devendo então as mulheres acompanhá-los em roda, batendo palmas ao seu redor, salvo quando a dança for em conjunto e geral. As mulheres casadas ostentam lenços na cabeça, como sinônimo do matrimônio. Para o povo cigano, a família é de suprema importância e assegura toda a sua estrutura e tradição.

As cores para eles têm um significado muito especial e cada uma tem seu valor próprio, primando sempre pelas cores mais vivas e que emanam maior vibração. Os ciganos não simpatizam com a cor preta e usam-na o mínimo possível, salvo se for de fundo ou que não ocupe lugar de grande destaque.

Como tudo, alguns costumes sofrem alterações e diferenças de acordo com a região de origem, clã ou nação onde vivem. Contudo, o caráter geral nunca é abandonado. Encontramos diferenças em alguns tipos de dança ou em outros costumes, porém sem alteração no fundamento.

Dentro desse padrão, a história nos apresenta ciganos com tendências diversas, como circenses, grandes forjadores ou ferreiros, comerciantes ligados às pedras preciosas, ouro, etc. Hoje, já encontramos uma grande parte deles absorvida em profissões de alto intelecto, mas a tendência histórica é sempre de exercerem atividades de fácil mudança ou adaptação local, tendo em vista seu caráter nômade. Muito embora nos dias de hoje a fixação seja uma dominante em razão dos tempos, o caráter andarilho vive e está sempre presente entre eles e seus corações.

Os ciganos não possuem uma religião única ou padronizada; em geral, eles se adaptam com facilidade às religiões locais, sem, contudo, abandonar sua essência; raramente se verá um cigano ateu, até porque em suas falas no dia a dia eles utilizam-se com frequência da refência a Deus, como quando dizem Deula, Devla, etc., sem contar que são um povo bastante superticioso. Em sua maioria, não aceitam que não ciganos cultuem seus antepassados ou espíritos ciganos, razão pela qual vamos encontrar ciganos católicos, muçulmanos, evangélicos, esotéricos, espíritas, budistas, afro-umbandistas, etc. É de suma importância salientar que ser cigano não é religião; cigano é um povo, uma raça, com costumes, cultura, tradições, dons, vestimentas e idioma próprio.

O povo cigano tem grande amor e respeito por seus ancestrais e antepassados e muita obediência aos mais velhos de seus clãs, que são os detentores de sua sabedoria e cobradores da passagem de suas tradições, impedindo que essas se percam ao longo do tempo. Tanto é assim que em alguns casos, quando abençoam alguém ou uma criança em certas situações, proclamam por seus antepassados como forma de bênção.

Vida Cigana

Imaginem as estradas precárias por onde transitavam suas carroças. Sujeito às condições climáticas, o comboio enfrentava a tormenta da chuva e do frio. As carroças eram tombadas pela fúria dos ventos, ou as rodas ficavam atoladas na lama. Crianças pequenas choravam, com medo da manifestação da Natureza; as mães ficavam temerosas pela integridade física dos pequenos; as mulheres grávidas, expostas aos acidentes; os mais idosos também igualmente permaneciam expostos. Contudo, todos acorriam no socorro à carroça acidentada.

Quantos partos foram feitos durante esses momentos de tormenta! As parturientes contavam apenas com a destreza das mais velhas do clã. Tantos e quantos partos complicados foram vencidos, quando não pela destreza, foram-no pelas simpatias e orações feitas com fervor. A mesma situação era vivida por outros clãs em países distantes, que, dependendo da região, enfrentavam também a neve; no entanto, a situação em si não se diferenciava uma da outra.

Durante a calmaria, tudo era festa. Porém, tudo tem seu preço. Confrontando a visão poética da liberdade cigana, do povo ao redor da fogueira cantando e dançando, temos também a realidade de suas necessidades básicas, a exemplo da higiene. Normalmente, procuravam acampar próximo aos rios, de onde podiam colher água potável para cozinhar, beber, tomar banho, lavar as roupas, etc. Entretanto, nem sempre era possível encontrar condições tão favoráveis. Acampavam, então, nos arredores de uma cidade. Nesse caso, precisavam recorrer à boa vontade dos moradores: batiam às portas das residências pedindo água potável e, quando eram bem recebidos, enchiam grandes galões e os carregavam para o acampamento, porém era necessário economizar a água. Quanto ao banho e às roupas a ser lavadas, a dificuldade era ainda maior, pois nem sempre os ciganos eram bem-vindos; o que é até compreensível, já que, quando alguém permitia o uso do tanque de lavar roupas ou do banheiro para que tomassem banho, imaginem o que acontecia. Todos corriam para a mesma casa. O que com certeza deveria ser extremamente desagradável para os seus moradores, pois era comum ouvir reclamações por parte desses em relação ao alvoroço feito pelos ciganos.

Tais situações eram passageiras; o clima mudava, as carroças danificadas eram recuperadas e voltavam à estrada. A única dificuldade persistente, impossível de ser vencida, sempre foi o preconceito. Durante todos esses anos, os ciganos foram acusados de coisas absurdas. Entretanto, nunca se deixaram abater.

Os Ciganos
e sua Natureza

Cultuadores da terra, com quem conviveram durante todo o tempo de existência, são portadores de dons especiais, que acreditam haver sido dirigidos diretamente ao seu povo por Deus (*Del*), embasando-se até mesmo em lendas ciganas que repassam aos seus jovens e crianças. De fato, mantêm dons indiscutíveis de muitas espécies e também uma forma autêntica de relacionarem-se com as sociedades em geral no mundo *gadje* (não cigano). Carregam consigo a mística da leitura das mãos, da borra de café, leitura das cartas, no cristal, leitura de dados, no espelho, etc. É o dom da profecia, por eles assim chamado, que se refere a especialidades ou dons especiais das mulheres ciganas, principalmente da *PhuriDey (as mais antigas, avós ou tias de mais idade)*. Os homens também possuem esses dons e os praticam, porém preferem mais se dedicar a outros dons, como o das artes, da música, da dança, do artesanato, metais, ouro, pedras – são excelentes forjadores de metais, principalmente cobre, etc., em especial o povo kaderash, etc. Desde crianças aprendem com os mais velhos a desenvolver tais dons e cabe à mulher a cartomancia com toda solenidade e toda leitura da sorte.

São adoradores do ouro e das pedras preciosas, mesmo porque são riquezas de fácil transporte. Ao longo da história, seus rituais têm sido usados muitas vezes indevidamente por não ciganos ou até por maus ciganos, mas hoje as pessoas demonstram haver aprendido a admirá-los e a entender que os ciganos não são as más pessoas com os defeitos que por vezes tentaram atribuir-lhes, ao contrário, possuem valores morais rigorosos e são duros com o cumprimento de seus deveres, procurando sempre demonstrar a honradez de que são portadores. Possuidores do dom magístico da adivinhação, carregam consigo um poder de intuição altamente desenvolvido, bem como uma grande gama de conhecimentos místicos. A sociedade cigana possui seus próprios métodos de cura e tratamento dos males físicos, herdados de seus antepassados através dos tempos, produtos da própria forma de vida nômade, assim como da convivência íntima com a Natureza, que lhes proporcionou grande sabedoria, advindas de todos os lugares por onde viveram, em especial na Índia, na Ásia, etc. Preparam unguentos, remédios de folhas, pós, pomadas, raízes, etc. É o conhecido e desenvolvido aprendizado milenar que se constitui em verdadeira magia do conhecimento e das experiências pelos tempos, próprio de povos que viveram em muitos lugares e em especial em lugares sem recursos de grandes metrópoles, característico de um povo habituado a acampamentos e vida livre, como peregrinos ou até andarilhos em determinados tempos atrás, o que hoje já não se vê com muita frequência, encontrando-os até fixados em lugares mais populosos.

Quando ocorria, por exemplo, de uma criança sofrer de diarreia, as ciganas mais velhas, como avó, tias, madrinhas (as *puri deys*), etc. costumavam fazer o seguinte: dar, durante o dia, às colheradas, a água com a qual foi escaldado o bacalhau, misturada com açúcar ou mel. À noite, dar água de coco verde. E a criança ficava boa! Assim, as várias receitas sempre andaram pelo mundo, levadas pelos próprios *rons* (*romá* = ciganos), independentemente do lugar onde viviam, cujas características lhes ajudavam a proporcionar seus costumes também.

Da mesma forma, levam consigo a linguagem da Natureza, a premonição, a mística de suas proximidades com os céus, com a lua e com a terra. Cultuam e rezam aos seus antepassados, ensinando às suas crianças lendas, orações, meditações e cerimônias especiais, como cânticos e ervas queimadas em braseiros, bem como histórias de seus parentes mais longínquos.

O povo cigano, por sua própria Natureza, é um povo rico, cheio de felicidade e alegria. O axé está sempre presente e é uma constante em meio aos seus festejos, que geralmente duram dias. Nesses eventos utilizam seus instrumentos, tais como pandeiretas, violinos, acordeões, violões e outros. São filhos da Natureza, e a chuva, o rio, o sol, a lua, as matas, o ar e a terra são parte integrante de suas vidas. Não se tem notícia de ciganos verdadeiros envolvidos em guerras ou conflitos generalizados; é um povo preocupado em viver e cultuar a liberdade em toda a sua plenitude. A liberdade é um dos tesouros mais significativos desse povo, esteio do nomadismo e âncora incomparável de um estilo de espiritualidade inesgotável, aliado ao respeito livre e de rigor admirável aos seus costumes, não se submetendo aos desmandos dos não ciganos, mas constituindo-se em independentes e livres homens e mulheres portadores de seu próprio mundo.

Por razões óbvias, submetem seus casamentos às leis civis dos países onde vivem, entretanto, sempre que podem não abandonam o casamento cigano, reconhecido por seus costumes. Assim, após o dote, são casados pela lei cigana e, quando os atos são feitos dentro da antiga tradição, são de rara beleza. As festas são longas e regadas por muita fartura, que deverá ser custeada pelos pais do noivo, que providencia todo o aparato necessário para receber seus convidados, de qualquer lugar ou distância, arcando ainda com os gastos e com as roupas de núpcias, especialmente a da noiva, que deverá marcar na história do clã e, preferencialmente, na cor vermelha como roupa do segundo dia e branca do primeiro dia, trazendo consigo suas joias de família, bem como as que ganhou de presente do pai do nubente e um lenço, também vermelho, que deverá significar seu estado civil daquele momento em diante. Na verdade, o matrimônio cigano traz uma grande oportunidade de tornar público aos convidados e à sociedade o poderio econômico dos pais do noivo, demonstrando que é um cigano bem-sucedido e financeiramente privilegiado, tornando forte o clã em que vive. O ouro e as joias são essenciais nesse momento, tanto pela noiva quanto pelo noivo e seus pais, marcando o festejo como um dos mais ostentadores e convidativos daquele povo.

Desde o instante em que é definido o compromisso de casamento da *Chei Romni* (jovem cigana), as famílias já acertam o dote a contento. A festa de casamento geralmente dura de dois a três dias e tem bastante fartura, bem como naquela ocasião é estabelecida, pelas mães e madrinhas, a data da realização do matrimônio, considerando também o período fértil. A procriação é a razão direta de todas as coisas para as famílias ciganas.

Em frente a um altar, previamente preparado e tomado por incensos, braseiros, flores, rosas, velas de cores vivas ao lado de taças com vinho e água, iniciam-se as orações, promessas, exorcismos, oferendas cabalísticas e a alimentação adequada para a futura gestante. As palavras da cerimônia de casamento são ditas por um *Kaku* (tio mais velho ou mais chegado), por um *Bharô* (cigano que sabe e que quer dizer grande por ser mais experiente nas cerimônias) ou por uma *Phuri Dei* (grande matriarca, consulente maior da família, avó, tia, etc.). Assim, é oficiada a cerimônia de acordo com a tradição e realizado o matrimônio conforme os costumes e lei ciganos e não por sacerdócio propriamente dito. Na tradição mais antiga, eram utilizados punhais trazidos e trocados pelos noivos, que, após talharem os pulsos, misturavam o sangue respectivamente e era feito o pacto. Eles eram guardados junto ao lenço vermelho da noiva e mantidos sob guarda por eles para assegurar um casamento feliz e duradouro, tendo em vista que a desunião dos casais não é fato aceito pelo povo cigano. Depois de determinado momento, é servido pão com um pouco de sal aos nubentes, que deverão comer, significando que vencerão as dificuldades e superarão os momentos difíceis por meio do amor, sendo certo que, pela tradição, enquanto o sabor daquele alimento durar, permanecerão unidos e em paz. Ao término da cerimônia, é servido à noiva vinho em uma taça de cristal e em seguida ao noivo, que depois de tomá-lo deverá jogar a taça com força no chão, quebrando-a. Se porventura isso não acontecer naquele momento, o noivo deverá pisoteá-la até que fique toda esmagada, desejando que as dificuldades se dissipem e eles sejam tomados pela felicidade eterna.

Terminada a cerimônia e iniciada a fase nupcial, deverá ocorrer a demonstração da prova de virgindade da noiva para a matriarca do clã e os pais, momento esse que sempre denotou grande expectativa, evitando conflitos internos e abençoando a união.

É fato que no passado os ciganos sempre se casaram muito jovens e hoje se teme pela perda dos costumes e da continuidade da tradição, até mesmo pela mistura de ciganos com não ciganos. Contudo, a demonstração da virgindade e outros aspectos da sociedade cigana ainda são mantidos com muita altivez em alguns lugares, embora sofram a grande influência dos valores modernizados e de novos conceitos, próprios do tempo, que indicam e sugerem alterações ritualísticas indesejáveis.

Ainda nos dias de hoje os festejos são marcantes, sendo o ponto alto em uma celebração de matrimônio. Há muita fartura de comidas, frutas e bebidas. Nas cerimônias de casamento, são depositadas joias de ouro, como forma de eleger um casamento feliz, próspero, rico, com muita dança, música e a luz ardente da fogueira em brasa quando for o caso; na verdade, hoje em dia as cerimônias têm tido lugar mais em bufês ou salões de festas de luxo.

Quando Morre
um Cigano

    Os ciganos que morriam eram sempre homenageados e enterrados próximo aos acampamentos, quando não eram queimados seus pertences e sua *tsara*. Aos mortos ciganos exige-se um culto próprio e especial, razão especial do respeito aos seus pares e antepassados, que na ótica de seu povo sempre se manterão ao seu lado, apenas deixando o corpo e permanecendo a alma em defesa e amor aos ciganos. Tanto que, ao morto cigano, existe a tradição de ser venerado. Assim, nas datas em que se comemoram o terceiro dia, sétimo dia, o 40º dia, seis meses e um ano do falecimento de um cigano, são preparadas comidas em sua homenagem e ele tem seu lugar reservado à mesa convidando familiares.

    Muitos dos antigos levavam comidas ao cemitério e comiam no local onde se encontrava o antepassado, na lápide. E no momento em que estavam comendo, ofertavam um dos pratos a algum *gadje*, (não cigano) como forma de homenageá-lo.

Os tipos de comidas eram: frangos, maçã, mortadela frita e alguns tipos de pães doces. Não se deixava ossos nem sobras de comida, para que nenhum animal os consumisse.

A pomana

Pomana siginifica lembrar, em memória de... E usamos a palavra **Taliertô** para referenciar-se *in memoriam* de algum ente querido e amado.

Atualmente, as cerimônias da pomana são realizadas em casa e, dependendo da religião da família, solicita-se missas tanto nas igrejas católicas como nas ortodoxas e outras.

Quanto às comidas, são normalmente feitas nos moldes antigos. Dependem dos clãs e famílias os tipos de comidas a ser oferecidos a alguém, como reverência e ritual. E quando completar um ano do funeral, é preparada a comida que o familiar falecido mais apreciava e seu lugar à mesa é preservado, como se ele ali estivesse, comendo e participando daquele momento, com naturalidade, em sua homenagem. Esse é um momento de grande respeito e amor, em que não é possível extrair seus segredos e tradições, por se tratar de um ritual de elevada estima e amor. Outros costumes são encontrados ainda; contudo, o que nos importa é a autoestima e a admiração aos que se foram do plano da carne e se mantêm em espírito.

Dessa forma, avalia-se com facilidade as dificuldades da união entre os ciganos e os não ciganos, por causa da inexistência de um passado especial na vida de cada um; todavia, o tempo traz consigo, em qualquer classe, povo ou sociedade, o instrumento da variedade de costumes e a tendência natural da mistura entre os povos, grupos e sociedades em geral, devendo-se esperar que a tradição perpetue-se na medida de sua rara beleza e importância, nos padrões de esforços que o tempo não vence e não venceu até nossos dias, devendo ser respeitado em toda a sua extensão.

Algumas Lendas Ciganas

Uma lenda sobre os ciganos e o tarô

No ano 1500 a.C., durante a XVIII dinastia do rei Apopi (Egito), surgiu naquela região um povo que trazia nas mãos um jogo de cartas, muito conhecido nos dias de hoje, chamado TARÔ. Esse povo era os ciganos.

Além de utilizarem o tarô, eles também eram estudiosos, amantes da numerologia, da grafologia, da astrologia e de outros estudos dos quais fazia parte a Natureza.

Os dois grandes mistérios que nem os grandes estudiosos conseguiram decifrar são: o aparecimento do jogo de cartas do tarô e a procedência, a terra natal dos ciganos *(Lê Romá)*.

Sobre o primeiro tarô, existem dezenas de lendas, histórias de povos que se dizem detentores da invenção desse jogo, entre eles os egípcios, os judeus, os chineses, os caldeus, os assírios e os ciganos, porém sem provas concretas de que tenha sido este ou aquele povo o inventor desse primeiro e maravilhoso manuscrito.

Outra Lenda Cigana

Contavam os antigos que os ciganos foram deixados para viver abaixo da terra e que não poderiam alçar a superfície de forma alguma, e assim passaram muito tempo abaixo da superfície.

Certo dia, um jovem cigano inconformado perguntou a um cigano mais velho de seu povo por que aquilo acontecia e não podiam subir à superfície, e ele lhe respondeu que assim deveria ser, até porque ali viviam bem e não tinham problemas nem guerras. Mas o jovem não conseguiu se convencer e, passado algum tempo, decidiu subir à superfície por sua própria conta, e assim o fez.

Lá chegando, perplexo, se deu conta de um mundo maravilhoso cheio de luz com uma água linda e um oceano sem fim. Perplexo permaneceu adorando aquele lugar, até que resolveu falar com Deus e perguntou-lhe por que tinham de viver abaixo daquele paraíso e a vida e a beleza ali existente tão encantadora não poderia ser morada de seu povo também. Ouviu-se uma serena e poderosa voz que respondeu que poderiam sim subir, mas antes teria de falar com seu mais velho cigano, e, assim, agradeceu o jovem e desceu para procurar seu puro (velho) e relatar-lhe os fatos ocorridos, o que foi feito de pronto. O velho cigano ficou preocupado com o que ouvia e chamou os outros para ouvirem também, e a decisão foi por acreditar no jovem e subirem para ouvir a voz divina. E assim o fizeram, chegando lá chamaram por Deus e lhe refizeram a pergunta com o jovem junto, e mais uma vez a voz respondeu e disse que poderiam subir e viver onde queriam, mas estariam obrigados a atender todas as pessoas que os procurassem para ler e falar sobre suas sortes, e que nunca teriam um lugar somente seu e viveriam sem guerras e sem sua própria terra.

Deviam perambular pelo mundo misturando-se aos vários povos e às suas culturas, mas nunca perderiam seus costumes e dons, devendo levar ao mundo alegria e muita música e fazerem de suas vidas poemas e poesias, contando sempre aos seus descendentes sobre tudo isso para que assim prosseguissem. E assim foi aceito e os ciganos vivem entre nós até hoje...

A Lenda do Encantado do Arco-Íris

Lenda contada pela PhuriDey Tsine Liza, do clã dos Lovari

Quem não conhece a lenda que diz que no final do arco-íris existe um pote de ouro?

Pois bem, em tempos distantes, os ciganos eram perseguidos e massacrados por povos bárbaros, ficavam desesperados e sem perspectivas, pois não tinham como se defender de tão acirrada perseguição, uma vez que os ciganos são pacíficos e não guerreiam; pois, no lugar de armas, portam seus violinos; no lugar de guerras, cantam suas canções e alegrias; no lugar de destruição, a beleza de suas danças; e em lugar de morte, seus corações pulsam com a alegria de viver e da liberdade; em lugar da fome, a mesa farta é distribuída para todos. É difícil para esse povo ter de agredir ou mesmo matar para se defender. Assim, buscavam sempre bater em retirada, procurando a tão almejada paz, sem que para isso tivessem de recorrer à guerra.

Já cansados pela fuga, com incontáveis perdas de parentes e amigos, na realidade seus clãs já quase disseminados e em total desespero, a aflição era a única força que os impulsionava para seguirem em frente. Foi quando então, diante de toda aquela situação e desespero, que a cigana... ao ver o arco-íris, clamou com toda a força de sua alma, desejosa de salvar os poucos que restavam de seu clã, e ao seu filho que estava em seu ventre, prestes a nascer em meio a toda aquela violência e miséria, dizendo:

– Deus do arco-íris, Vós que atravessais os céus ligando a terra de uma extremidade a outra, eu, a cigana... Vos evoco e Vos imploro, salvai-nos e nos mostrai a terra da paz.

E se jogando ao chão, chorou copiosamente. A cigana no fundo de sua alma esperava receber uma resposta, quando percebeu que as cores do arco-íris começaram a brilhar cada vez mais intensamente, alternando suas cores com rapidez. Secando as lágrimas de seus olhos e imaginando estar vendo "coisas" em razão das lágrimas que ofuscavam seus olhos e sua visão, naquele momento pôde perceber que realmente as cores estavam se alternando com brilhos mais intensos e incomparáveis, era como se fossem as cordas de um instrumento musical. E então, sons melodiosos começaram a soar, como pequenos sinos emitindo sons divinos.

Sua alma então se aquietou, uma imensa paz a invadiu, quando inesperadamente ouviu uma voz dizendo:

– Cigana, a sina de seu povo será se espalhar pelo mundo todo, povoar as terras mais distantes, representando-me em sua beleza. O céu será seu teto, a terra seu palco e seu lar. Eu ofuscarei a visão de seus perseguidores para seu povo partir em segurança, mas o filho que você carrega em seu ventre ficará comigo.

Nesse instante a cigana então segurou seu ventre com as mãos e gritou:

– Não, não peçais meu maior tesouro, ó Deus do arco-íris, eu Vos peço, não tirai a vida de meu filho!

Novamente então seguiu dizendo a voz do alto:

– Cigana, aquiete-se, seu filho não perderá a vida, antes ele lhe dará a vida. Como um tesouro ele será guardado por mim. Ele fará com que minhas cores ganhem vida em suas vidas, suas mãos estarão eternamente suprindo todas as suas gerações com moedas de ouro, pois a ele será dado o pote encantado do eterno suprimento, e em minhas cores que vocês passarão a usar estará o encantamento, a magia, que fará a partir de agora parte de suas almas, pois seu filho encantado continuará para sempre animando-as em suas almas e espíritos. E com o **verde** levarão a esperança, a fartura; com o **vermelho**, a vida, o entusiasmo e o vigor; com o **amarelo**, a realeza, a riqueza; com o **azul** levarão a serenidade, intuição; com o **laranja**, a energia, a vitalidade, a emotividade; com o **violeta** levarão a transmutação, perseverança; com o **rosa**, o amor, a beleza, a moralidade e a música.

E então, como em um passe de mágica, a cigana viu seu filho flutuando e dando risinhos em direção ao arco-íris, envolto por suas cores cintilantes, formando-se em sua cabecinha cachinhos de cabelos dourados, que caíam em forma de moedas de ouro. Quanto tempo se passara a cigana não sabia; havia, pois, sido tomada por uma espécie de torpor e uma calmaria imensa havia envolvido sua alma.

Foi quando então ela percebeu que estava em uma das extremidades do arco-íris e que de suas mãos saíam feixes de luzes coloridas e nas mesmas cores do arco-íris. Viu então seu povo ao redor do lugar onde ela se encontrava anteriormente, encantados com as incontáveis moedas de ouro que não paravam de cair sobre eles, e no local onde caíam as lágrimas que derramava formava-se um lindo jardim de flores coloridas e das mesmas cores do arco-íris.

E desde então, os ciganos se dispersaram pelo mundo na irradiação do arco-íris, levando o encanto de suas roupas coloridas, a atração pelo ouro, conhecendo em suas almas e no relato intuitivo de seus antepassados, que o colorido de suas vestimentas na realidade é o colorido da vida que eles tanto amam e que o brilho do ouro é o brilho do tesouro mais valioso, que é o dom de viver, e que ao final do arco-íris existe um pote de ouro inesgotável a supri-los.

Lendas... o que são lendas? São apenas lendas, mas que trazem todo um fundo de verdade.

Quem já teve a oportunidade de ver uma cigana dançando, com seu corpo se movimentando, como a ondulação de uma serpente? A serpente do arco-íris.

Quem já pôde observar o olhar de um cigano? Que hipnotiza, atrai, como o olhar de uma serpente. A serpente do arco-íris.

É interessante o que fazem as lendas na história de um povo, que inseriu em seu costume outros costumes e que fez nascer entre o povo a tradição da oferenda ao encantado do arco-íris, para trazer sorte, dinheiro, felicidade e perpetuar a união e o amor pela vida e a liberdade, seus maiores tesouros.

Oferenda ao Encantado do Arco-Íris

1 – Flores coloridas.

2 – Sete fitas estreitas nas cores:

azul

rosa

violeta

laranja

amarela

vermelha

verde

3 – Sete moedas douradas (do mesmo valor)

4 – Sete velas azuis

Sete velas rosa

Sete velas violeta

Sete velas laranja

Sete velas amarelas

Sete velas vermelhas

Sete velas verdes

(todas simples)

Esta oferenda deverá sempre ser feita no tempo, ou seja, em céu aberto, em um lugar qualquer que seja bonito e alegre, de preferência na praia e sempre no período diurno.

Procedimento

Uma vez escolhido o lugar preferido para se fazer a oferenda, deve-se dispor as velas da mesma cor, uma do lado da outra, retratando a forma de um arco-íris, e assim sucessivamente, com todas as outras velas e em seguida das anteriores, com as cores desenhando um arco-íris. Entre uma fileira e outra de velas, coloque a fita da cor correspondente às das velas já dispostas no chão do lugar. Em seguida, do lado direito, no final próximo à vela e o fim da fita, coloque uma moeda dourada. Do outro lado, isto é, na outra ponta, do lado esquerdo, coloque seus pedidos por escrito em uma folha na cor do que deseja pedir.

As flores deverão ser colocadas de maneira que formem um círculo ao redor das velas, e estas deverão ser acesas.

Nessa oferenda poderá ser feito todo tipo de pedido, salvo os que não forem para o bem. As súplicas poderão ser em seu próprio benefício ou de qualquer outra pessoa, como para saúde, alegria, prosperidade, fartura, paz, equilíbrio, amor, harmonia, projetos pessoais, finanças, enfim, tudo que mantenha relação com a vida física, mental e emocional, espiritual, profissional ou religiosa.

No momento em que se termina de fazer a oferenda, deve-se fazer uma breve evocação, repetir mentalmente o que se está pedindo com bastante fé e bater palmas três vezes, agradecendo, e sair sem olhar para trás.

Evocação

Ó encantado do Arco-Íris, eu te evoco e te peço que me ampares neste momento em que necessito de tua luz, de teu brilho para solucionar (repetir o pedido mentalmente). Obrigado. Amém.

No idioma cigano (romanês):

Tirô baripê acarav tut, telessama pala man

Achanak kêtrobuiman

Tirô kam ai tiro shvieto

Telessama pala murô.

Uma curiosidade

As mesmas incertezas envolvem o povo cigano sobre sua terra natal. Sabe-se que eles são muito antigos, talvez ainda do tempo da Torre de Babel. Diz uma lenda que Jesus Cristo, ao ser crucificado, teve um dos pregos, que deveria ser fincado em seu coração, roubado por um cigano. Mas Jesus Cristo, ciente de Seu martírio e de Seu sofrimento na cruz, sabia que aquele prego roubado pelo cigano iria encurtar seu padecimento. Mas, para o cigano, o ato de roubar aquele prego seria com a intenção de salvar a vida d'Aquele que sofria injustamente. Porém, Jesus virou-se para o cigano, estando a cruz ainda no chão, e disse:

"Vocês, ciganos, seguirão andando pela terra como um povo discriminado, como ladrões, mas sempre serão perdoados por meu Pai." Dizem que o prego foi engolido pelo cigano.

Hoje, existem ciganos em todas as partes do planeta e de todos os tipos de religião. Pode-se dizer que 95% acreditam em Deus, como católicos, muçulmanos, espíritas e outras religiões.

Existem várias histórias sobre a procedência do povo cigano, que vai desde o antigo Egito, passa pela Síria, Arábia, Mesopotâmia, Caldeia, chegando até a Índia.

Alguns de nossos ciganos viveram na Índia, tal qual a própria Indira Gandhi, primeira-ministra mais famosa da Índia, que afirmou para os ciganos em um encontro cultural, em uma cidade perto da Índia, onde se reuniram milhares de ciganos músicos e não músicos, que ela não tinha dúvidas de que os ciganos eram provenientes da Índia. Isso só veio confirmar uma lenda muito antiga entre os ciganos da Ásia e que chegou até nós, os ciganos ocidentais, que diz que havia uma cidade no norte da Índia onde existia uma colônia (talvez de ciganos) que vivia muito bem. Por serem ricos, viviam em festas, cheios de ouro, da alegria e da arte real do bem viver, mas uma tribo vizinha os cobiçava pela grande quantidade de riqueza (ouro) que aquela tribo exibia. Segundo contam os ancestrais, essa tribo foi atacada e vários deles foram mortos. Porém, os sobreviventes se dispersaram pelo mundo, supondo-se que, pelo modo de vida descrito na história, sejam os ciganos. Isso comprova a afirmativa da primeira-ministra da Índia.

Sabendo que a família de Indira Gandhi é de uma árvore genealógica de mais de 2 mil anos, ela não faria uma afirmativa desse porte sem ter fundamentos. Outras indicações de que os ciganos são descendentes desse povo é a incrível quantidade de palavras e costumes iguais.

No decorrer dos tempos, o povo cigano saiu de seu local de origem (Índia?) com outros povos de origem asiática e foram instalar-se no Oriente Médio, Rússia, Iugoslávia, Romênia, Hungria e, mais tarde, desceram para a Europa Central, Espanha, Portugal, França, dispersando-se assim pelo mundo.

Por ser um povo pacífico, imigravam por causa das grandes secas, seguidas pela fome, tal como surgiu no Egito. Daí então serem chamados de povo nômade, pois sempre se evadiram de locais em conflito.

O povo cigano sempre foi sofrido, discriminado por não ter uma pátria própria, mas isso fez com que acumulasse durante suas andanças pelo mundo, uma riqueza cultural, linguística, missigenada de todas as partes do planeta. Logo é fácil entender por que a língua cigana, o romanês, parece-se com muitas línguas de diversos países do mundo, como podemos notar abaixo as semelhanças em alguns exemplos:

Umbrella = inglês = guarda-chuva

Ambreli = romanês = guarda-chuva

Veselo = iugaslavo = alegre

Veselo = romanês = alegre

Machina = alemão = trem

Machina = romanês = trem ou fósforo

Nak, mui, can = hindu = nariz, boca, ouvido

Nak, mui, can = romanês = nariz, boca, ouvido

Mas ainda assim é um idioma único, não entendido por ninguém que não seja cigano. Dessa forma, os ciganos criaram um idioma universal, que ficaria entre eles como uma chave, um código para distinguir ciganos de não ciganos, pois todos eles, não importa se chinês, português, europeu, etc., falam o idioma cigano (romanês).

Existem várias famílias dentro de uma mesma comunidade cigana, e não se pode dizer que uma ou outra é a mais rica culturalmente ou detentora de mais ou menos tradições, porque cada chefe de família é o responsável em manter as tradições entre seus familiares e de passar para os seus, sempre oralmente, ou seja (sem escrever ou grafar), somente pelo convívio do dia a dia, o idioma cigano (romanês), passando assim de pai para filho. Por isso, quando estão reunidos, só falam em sua própria língua e mantêm seus costumes.

Essa fama de os ciganos serem detentores de um conhecimento milenar de alquimia, gnóstico, magístico, grafológico e de grande desenvoltura espiritual deu-se pelo fato de que, em toda cidade de qualquer parte do mundo, sempre há uma cigana lendo mãos ou olhos de alguém, revelando seu passado, presente e futuro. Antigamente fazia isso em praça pública, hoje em dia o faz em seus luxuosos consultórios e está longe de ser reconhecida, por causa da discriminação. Na maioria das vezes acabam resolvendo problemas dos mais variados tipos, usando apenas sua intuição e o que foi passado de mãe para filha, inclusive receitas de simpatias, benzimentos, feitiços brancos e outras poções mágicas.

Por causa do sucesso emergente do povo cigano nessas últimas décadas, nesse campo da magística, surgiram os "falsos ciganos" (pessoas que se infiltram ou leem livros sem fundamentos, com informações falsas sobre os ciganos; dizem-se ciganos apenas para explorar esta que virou uma verdadeira indústria de olhadores da sorte, levando o nome dos ciganos muitas vezes para o fundo do poço). Por ser o povo mais fechado existente, pouquíssimas são as obras que realmente contêm informações que procedem.

A verdadeira cigana não atende seu consulente visando apenas ao pagamento; existe uma necessidade maior e talvez inconsciente de transmitir pela consulta seu "axé", e que deve circular, ou seja, tem de passar para a frente, para que não sofra estagnação de conhecimento e magística, pois, se isso acontecer, ela, a cigana, perde o poder adquirido ao longo dos anos.

Então, cabe a ela ser a guardiã dos segredos, das leis dessa sabedoria milenar e só passar para sua sucessora (filha, sobrinha ou neta) oralmente, ou seja, única e exclusivamente pela fala.

Existem no Brasil várias famílias de ciganos, com pequenas variações de pronúncia dependendo da região ou país de origem, que são: kalderashis (caldeireiros), mactrivaias ou matchiwaia (Iugoslávia), horaranê (Turquia), lovara, taliaias (Itália)Asia.

Podemos reconhecer um cigano por sua árvore genealógica. Por isso, quando ele encontra outro cigano que não conhece, a primeira coisa que pergunta é sobre sua árvore genealógica, para ver se há alguma coincidência, cruzamento ou parentesco; por essa razão, é importante que ele saiba sobre seus antepassados.

Pode-se também dizer sobre a família ou *vitsa* dizendo o país de procedência de seus avós, por exemplo: se o avô do cigano é russo, então sua *vitsa* é moldavaia ou moldovano, que são os russos da Moldávia. Daí, moldovano é igual a matchivano, que é o cigano iugoslavo da cidade de Matchiua (que quer dizer gato).

Superstições ciganas

Os ciganos também mantêm suas restrições e suas superstições, por força da tradição do povo cigano, que se referem a comportamentos, lugares e estado das pessoas. Como exemplo comum a todos os grupos, podemos citar o fato de um cigano não colocar bolsa na mesa ou não limpar uma mesa com papel, isso significa para os ciganos uma superstição forte de que afasta o dinheiro de suas mãos e de seu povo. Também não costumam os ciganos assoviar dentro de casa porque acreditam que isso lhes traz mau agouro. Quando um cigano ou cigana fala em igrejas ou cemitérios à noite, fato este que procuram evitar o máximo possível, simulam como se estivessem cuspindo três vezes em seguida e rapidamente pedem licença dizendo: "*Dur a mandar e cangueerijalraatchassa*", que tem o feito de afastar o mal de dentro do lar cigano.

Quando se tratar de morte e tiverem de se dirigir a um cemitério, na saída, quando estiverem indo embora, os ciganos queimam um palito de fósforo e o jogam por trás, acima da cabeça, e saem do cemitério sem olhar para trás. Esse ritual é feito segundo a tradição cigana para impedir que qualquer espírito os acompanhe na sua saída.

Algumas Orações Ciganas

Toda oração deve ser um momento de divinização, um elo entre o mundo espiritual e nós. Ela é um mantra sagrado e deve carregar a força da boa-fé e do ímpeto esplendoroso da bondade humana. Todo ato de fé, toda oração é a relação mais próxima com o Criador, o DIVINO INCRIADO e nosso Pai; é a ponte suprema de nossa comunicação interior e da religação de nosso Eu superior com nossa origem e divindade; é a forma mais curta e breve de se falar com o Pai e com nossos mentores, intermediários e Guardiões do Universo; é a maneira mais simples e modesta de se falar com Deus, quando se põe o coração na boca, na alma e no espírito.

A oração ainda é, em todo o seu êxtase e plenitude, a fonte legítima da maior magia, conhecimento, aprendizado e feitiço que se pode obter. É a alquimia da vida, dos olhares, da percepção e do encontro com o mundo maior.

Conheça algumas orações ciganas em idioma romanês ou romani, com a respectiva tradução para o português:

Pronuncia-se como se lê, para melhor atender ao leitor.

Uma oração para fazermos sempre que sairmos, uma oração cigana forte também utilizada em momentos de reflexão:

Rudimos Kau Del le Romengue

*Deula, tu cai sanomaibharô ando tchere
e ande lumia. Amen lê romá si amen
tiroanau ande amrêile, ai ando
amaro guindo; saco dies ando amaro traio
Querta deula te avel tiro vastpe amare
Cherê, lê amen dar sama catar e nasulimata
Catar o nasfalimos, te na pêras ando guindo
Lê bi lache. Tu caito diam namen te piras
pe lumia sar tire manuch, sicau amen que
o drom o lachô, tai cana avela amaro tchasso
techai te tchumidas tire punrre.
Deula, tu que garavessamen cana vustias
Diminhatse lê camesa, rudiuma tute
Te lessamem sama amaro gau, ai cana
Amboldas saquere teareçás amare família
Impatch sastimassa Deula, tu cai san lusso
mangauto te pires
Ando murro vast o tchatchô, ai ando vasto
Istingo anglal, tai palal te lês sama murre
Zêia. E naissisarau que janau as so doe cime
Ando traio,sima sostar tu dianma.*

Oração para o Deus dos ciganos
(tradução)

Deus, Vós que sois o maior no Céu e na Terra.

Nós, os ciganos, temos Vosso nome

em nossos corações e em nossos pensamentos todos

os dias de nossas vidas.

Permiti, Deus, possam estar Vossas mãos em nossas

cabeças; tomai conta de nós contra o mal, contra as

doenças, para não cairmos nos maus pensamentos.

Vós que nos colocastes para andar na terra como Vosso povo,

mostrai para nós o caminho bom,

certo, para que quando chegar nossa hora,

pos-samos beijar Vossos pés.

Deus, Vós que nos guardai quando levantamos de

manhã com o sol,

rogo a Vós que tomai conta de nosso trabalho,

e quando voltarmos para casa, que encontremos

nossas famílias muito bem de saúde.

Deus, Vós que sois a luz, rogo-vos que andeis ao meu lado

direito e ao lado esquerdo, à frente e atrás, e tomai

conta de minhas costas e agradeço tudo o que eu

tenho na vida.

Tenho porque Vós me destes.

Uma oração para pedir proteção a Deus

Deula, tu cai san a maibarô ando, tchere e ande lumia, amen lê romásíamemtiro anau ando amaro ilô, ai ando amaro guindo.

Saco dies ando amaro Traio, querta Deula te avel tiro vast, pe amare cherê.

Lê amendar sama catar e nasulimata, catar o nasfalimos, te na pêras, ando guindo lê bi lachê.

Tu cai tsodian amem te piráspe lumia sar tire manuch, sicau amengue o drom o lacho. Tai cana avela amaro tchasso, te chai te tchumidas tire pumrre.

Amém!

Uma oração para pedir proteção a Deus (tradução)

Senhor Deus, Vós que sois o maior entre o Céu e a Terra, nós, os ciganos, temos Vosso sagrado nome em nossos corações e em nossos pensamentos.

Senhor Deus, Vós que sois o único, permiti que Vossa mão esteja sobre nossas cabeças, irradiando Vossas bênçãos, amparando-nos contra o mal e contra as doenças, e cuidai para não cairmos em tentação dos maus pensamentos.

Nós, do povo cigano, que andamos pela terra como seu povo, mostrai-nos o melhor caminho para seguirmos para que, quando chegar nossa hora, possamos beijar Vossos pés como agradecimento.

Amém!

Oração para pedir proteção para o trabalho e para a própria pessoa

Deula tu cai garavessamen cana vustias diminhatse lê camesa, rudiuma tute Te lês amensama amaro gau, ai cana amboldassaquere teareçás amare família impatch.

Deula, tu cai sanlusso. Andogau tu te pires murro vast o tchatcho, ai ando vast o istingo, e anglal, ai palal, te lês sama murrê zeiá, ai nais tuque que janau Sá sode sima ando traio, sima sostar tu dianma.

Ai, amaro ilo si veselo sostas amem patchas samenpe tute ai dicas que tu som andre ande amare ilê.

Amem!

Oração para pedir proteção para o trabalho e para a própria pessoa
(tradução)

Senhor Deus, rogamos Vossa proteção, para quando levantarmos de manhã com o Sol, termos Vossa bênção para seguirmos em nossos trabalhos durante todo o dia, e que quando chegarmos em nossos lares, encontremos nossos familiares felizes e saudáveis.

Senhor Deus, Vós que sois a luz do Universo, rogo por Vossa proteção, iluminai meu lado direito assim como o esquerdo. Iluminai o caminho à minha frente, assim como minhas costas, e agradeço, pois sei que tudo o que tenho em minha vida tenho porque Vós me destes.

Por isso, nossos corações estão em festa, porque cremos em Vós e sentimos Vossa presença dentro de nossos corações. Amém!

Oração cigana

Ô Del uigei ai ando sákô vremia passá tutê. Ai ande tutê uou sórra ti mukeltut ai sorrí ti avessa iêlgêênô, na muk ê roolitê avel baariandê tútê ai muk ô Dêêvlesco glassô tê orbil tussa cai andê tutei. Caadêsá ô nassulipê jalatar anda tiirô drom ai araquessa ê tchatchipê andê sá lê vêchi ai andê sá ê manussa.

Oração Cigana
(tradução)

Deus está em toda parte ao mesmo tempo. Ao Seu redor e dentro de você.

Você jamais estará desamparado e nunca estará só.

Não permita que a mágoa o perturbe.

Procure manter-se calmo, para ouvir a voz silenciosa de Deus que está em você; assim poderá superar todas as dificuldades que aparecerem em seu caminho e há de descobrir a verdade que existe em todas as coisas e pessoas.

Suntô Mariônê

Suntô Mariônê, pérdô sanandô svêtô ô Del tu sai. Uusísan angla sá e juvliáuusôi ô fruktô kai arakádilas tutar Jesus.

Suntô Mariônê Del leski dei rudissar paala amarre becerra akaanak ai Kanã méérassa.

Amem!

Ave-Maria
(tradução)

Ave-Maria, cheia de graça, o Senhor é convosco, bendita sois Vós entre as mulheres, bendito é o fruto do Vosso ventre Jesus.

Santa Maria, mãe de Jesus, rogai por nós, pecadores, agora e na hora de nosso desencarne.

Amém!

DatAmarô

Dat amarô cai sanando tchêri

Súnto si tiro anáv

Av aménde ando tiro rhaio

Ai te avêl pô tiro katêpe luma sar ando tchêri

Ô mânro amaro saco diêsco, deamem

Adiês, ai ertisar amarhê bezerrhá,

Saramê ertisar áscodolêngue cai

Querém nassulipê aménguê

Na muk te querás nassulipê, ai dik pala amendê

Sóstar tírôi ô rhaio ê zôr ai blichísmíndik.

Amem!

Pai-Nosso
(tradução)

Pai Nosso, que estais no Céu,

Santificado seja o Vosso Nome.

Venha a nós o Vosso Reino.

Seja feita a Vossa Vontade

Assim na Terra como no Céu.

O pão nosso de cada dia nos dai hoje.

Perdoai as nossas ofensas,

Assim como nós perdoamos

A quem nos tiver ofendido.

E não nos deixeis cair em tentação,

Mas livrai-nos de todo o mal.

Amém!

Alguns rituais ciganos
Prasnico

Um ritual tradicional nas famílias ciganas para ajudar um familiar enfermo:

Uma receita milenar cigana para salvar a vida de uma pessoa amada, da família, por intermédio de uma promessa (Faça somente se a pessoa estiver correndo risco de morte por doença, ou perdida em lugar ignorado e correndo perigo; por exemplo: no mar, na mata ou por estar presa injustamente). Quando fizermos essa promessa, a pessoa, na maioria dos casos, não precisa estar presente ou ficar sabendo, pois se trata apenas de uma promessa e quem vai pagá-la é quem está pedindo a ajuda ao Santo de sua devoção, e deverá cumpri-la enquanto quem fez o pedido ou a pessoa estiver viva. Ela só saberá da promessa quando ficar recuperada daquele mal, mas a pessoa estará presente nos aniversários do dia da promessa, como segue abaixo:

Supomos que a pessoa esteja correndo algum perigo daqueles acima descritos; então se dirija à igreja mais próxima ou de sua devoção ou ao santo da data mais próxima daquele que se encontre com problema. Exemplo: se o problema se passa em janeiro, o Santo mais próximo é São Sebastião; se em abril, o mais próximo é São Jorge.

Vamos usar São Jorge como exemplo:

Estando na igreja, peça com muita fé e faça uma promessa que o aniversário da pessoa também será no dia da festa do santo. Exemplo: São Jorge.

Chegando às vésperas da data da festa do santo, prepare o material relacionado a seguir (essa festa chama-se PRASNICO):

Uma imagem do santo; uma vela grande e grossa, mais ou menos de 0,5 metro de altura; carne de carneiro; um pão redondo do tipo italiano, salgado e feito no dia; um litro de vinho tinto seco; compre uma tesoura virgem pequena, comida e bebida de festa de sua preferência, em abundância; chame seus convidados mais chegados.

Além daquela comida de sua preferência, prepare o carneiro com sal e alho e coloque-o para assar bem de manhã em fogo brando, isso no dia do santo.

Prepare a mesa com uma toalha branca e em uma das cabeceiras dela coloque o santo, o pão e a vela em um prato virgem. Entre 12 e 13 horas acenda a vela e faça uma oração com as mãos dadas com todos os presentes.

Já com a comida sobre a mesa, escolha mais duas pessoas de sua confiança e segurem o pão com as duas mãos. Você e elas começarão a girar o pão lentamente, no sentido horário, por sete voltas, pronunciando palavras de agradecimento pela graça alcançada para o santo. Enquanto isso, a pessoa que foi recuperada ou curada vai derramando o vinho no centro do pão, que vai estar com um pequeno orifício feito com a mão, para poder penetrar o vinho dentro dele (não derramar muito vinho). Quando chegar à sétima volta, quebre o pão no mesmo instante (todos baterão palmas) e reparta com todos os presentes. Separe o primeiro pedaço para o santo e coloque em um prato virgem um pedaço de pão e um de carneiro. Coloque em frente ao santo com a vela.

A tesoura serve para aparar o pavio quando a chama estiver escura.

A pessoa que fez a promessa deve ficar em jejum até o último convidado acabar de almoçar. É bom que tenha música e muita alegria. Nesse dia, evite brigas na festa a qualquer custo, por isso escolha bem seus convidados.

Essa festa vai até as 18 horas, momento em que a pessoa que acendeu a vela deve apagá-la.

Para maior respeito, uma pessoa mais velha sempre precisa estar sentada à mesa, pedindo respeito, no caso de alguém pronunciar palavras impróprias para a ocasião.

Após a vela ser apagada, termina naquele dia a obrigação, mas a festa pode prosseguir, mantendo sempre o máximo respeito, até o último convidado.

Não jogue os restos do alimento para os cães nem no lixo, somente em água corrente, exceto a bebida, no mesmo dia até a meia-noite.

Guarde a vela em um pano branco limpo, pois ela servirá para vários anos.

Despache em uma praça sossegada o prato oferecido para o santo, somente no outro dia até o meio-dia, encerrando assim o que os ciganos chamam de PRASNICO.

Obs.: se o dia do santo cair em uma sexta-feira, substitua toda a comida por peixe e frutos do mar.

Não use ovos, carne ou leite, ou seja, nada que seja do reino animal.

Boa sorte!

Santa Sara Kali

Algumas fontes de pesquisas afirmam que os ciganos mantêm Santa Sara Kali como santa de sua preferência. Entretanto, outras tantas discordam, alegando uma posição totalmente contrária e desconhecida de seus cultos e costumes. Permanece uma boa parte de ciganos católicos que cultua Nossa Sra. Aparecida.

Outrossim, revela-nos a pesquisa de campo um relato novo, que Santa Sara Kali é realmente cultuada por uma parte razoável de ciganos, em sua maioria da religião católica, bem como de não católicos. Santa Sara Kali também é da mesma forma cultuada por um imenso número de pessoas das mais variadas culturas e religiões. Dessa forma, esotéricos, espiritualistas e tantos outros, cuja origem também não é cigana, cultuam Sara Kali.

Uma Lenda sobre Santa Sara Kali

Uma lenda muito conhecida entre os ciganos e não ciganos fala sobre Sara Kali:

Conta-nos a lenda que Maria Madalena, Maria Jacobé, Maria Salomé, José de Arimateia e Trofino, juntamente com

Sara, uma cigana escrava, foram atirados ao mar, em uma barca sem remos e sem provisões.

Desesperadas, as três Marias puseram-se a orar e a chorar.

Aí, então, Sara retirou o *diklô* (lenço) da cabeça, chamou por *Kristesko* (Jesus Cristo) e prometeu que, se todos se salvassem, ela seria escrava d'Ele e jamais andaria com a cabeça descoberta em sinal de respeito.

Por um milagre, a barca, que estava perdida e sem rumo, atravessou o oceano e aportou com todos salvos em *Petit-Rhône*, hoje a tão conhecida *Saintes-Maries-de-La-Mer*.

Sara então cumpriu sua promessa até o fim de seus dias.

Oração a Santa Sara Kali (Nelson Pires Filho)

Minha Mãe e querida Sara Kali,

que em vida atravessastes os mares

e com vossa fé levastes à vida novamente

todos que convosco estavam;

Vós que Divina e Santa sois

amada e cultuada por todos nós,

mãe de todos os ciganos e de nosso Povo,

Senhora do amor e da misericórdia,

Protetora dos Rom,

Vós que conhecestes o preconceito e a diferença,

Vós que conhecestes a maldade,

muitas vezes dentro do coração humano,

Olhai por nós.

Derramai, sobre vossos filhos, vosso amor,
vossa Luz e vossa paz.
Dai-nos vossa proteção para que nossos caminhos
Sejam repletos de prosperidade e saúde.
Carregai-nos com vossas mãos e protegei nossa liberdade,
nossas famílias e colocai no homem mais fraternidade.
Derramai vossa Luz em vossas filhas, para que possam
gerar a continuação livre de nosso povo.
Olhai por nós em nossos momentos de
dificuldade e sofrimento, acalmai nossos corações
nos momentos de fúria, guardai-nos do mal
e de nossos inimigos,
derramai em nossas cabeças vossa Paz
para que em paz possamos viver
abençoai-nos com vosso amor
Santa Sara Kali, que ao Pai celestial possais levar
nossas orações e abrandar nossos caminhos.
Que Vossa Luz possa sempre aumentar em Vosso
Amor, misericórdia e no Pai
E que assim sejais louvada para todo o Sempre.

Algumas Comidas Típicas Ciganas

A culinária cigana gira muito em torno de carne de boi, porco, carneiro, cabrito, próprios da caça, bem como de peixe, polvo e aves. Os alimentos ciganos devem sempre ser marinados com vinho branco ácido, grãos de coentro socados e *cary* (curri indiano).

A carne de carneiro é raspada com as costas da faca, acautelando-se para que um dia antes tenha sido esfregada com hortelã verde, permanecendo, até sua feitura, banhada com vinho branco meio seco e sal.

Trata-se de culinária bem arrojada e que, com certeza, agradará a quem desejar provar e criar o hábito de prepará-la para comer, sendo indispensável em qualquer festa cigana.

Peixe de escama na brasa

Ingredientes:

Um peixe grande

Vinho branco seco

Alho

Pimenta-do-reino branca

Salmão em conserva no óleo

Uma colher de azeite doce

Modo de fazer:

Dividir o peixe ao meio, de comprido (da cabeça ao rabo), marinar em vinho branco seco, alho, pimenta-do-reino branca e salmão em conserva no óleo, picado e acrescido de uma colher de sopa de azeite doce.

Prender as duas metades desencontradas (rabo com cabeça), levar ao forno para assar, regando com a marinada sem deixar sapecar demais, devendo as partes ser expostas alternadamente.

Sarmali ou Sarma

Ingredientes:

Pedaços de carne macia de boi

Pedaços de carne de porco (costela ou lombo)

Cary

Pimenta-do-reino

Cheiro-verde

Páprica

Alho

Cebola

Tomate maduro

Sal a gosto

Uma colher de sopa de banha de torresmo

Um repolho grande

Modo de fazer:

Picar as carnes com facão e misturar com o cary, pimenta-do-reino, sal, salsa, cebolinha e uma colher de sopa de banha de torresmo. Coloque-os em folhas de repolho, previamente aquecidas, sem deixar amolecer, formando embrulhos quadrados. Em uma panela de alumínio, refogar a banha com pedaços de torresmo, páprica, tostar o alho e a cebola picada, acrescentar tomate, salsa e água. Coloque as trouxas (embrulhos quadrados) em camadas, acrescentando água, até que cubra a última camada de trouxas. Tampar a panela e sacudi-la de vez em quando, não devendo jamais mexer com colher.

Servir com carne na brasa ou rosbife.

Uma Deliciosa Receita do Verdadeiro Civiaco

Esta receita foi trazida da Rússia no começo do século passado pelos ciganos da *vitsa* (clã) dos kalderashismoldovaias. Hoje em dia, pouquíssimas mulheres ciganas do clã ainda guardam esta receita. Por ser um doce folhado difícil de preparar, as ciganas mais jovens optaram por outros doces mais fáceis de fazer, mas posso garantir que, depois de pronto, é muito gostoso, ideal para se comer com chá típico cigano do Samovar.

Ingredientes:

Faça uma massa comum, com farinha, 1 ovo, uma pitada de sal e uma de açúcar, uma colher de sopa de óleo e meio copo de água morna. Faça uma massa grande e amasse até desgrudar da mão, estalando, e deixe descansar entre toalhas de mesa, de modo que fique aquecida.

Triture (esmigalhe) ricotas com as mãos em uma vasilha grande e salpique-as; misture duas xícaras de açúcar.

Depois da massa descansada, faça várias bolinhas com aproximadamente 150 gramas cada uma, sempre mantendo-as aquecidas.

Unte uma forma retangular com manteiga. Abra as bolinhas (massa), uma a uma, primeiro com um rolo de amassar, depois termine de abrir com as mãos, o mais fino possível.

Obs.: Não deixe que a massa tome ar.

Estique a massa na assadeira, de maneira que ultrapasse a forma (apenas uma pequena quantidade).

Obs.: As primeiras massas não encostarão totalmente na assadeira.

Espalhe a ricota picada e a uva-passa, espalhando dois punhados de cada (pegue com a mão) e, por fim, mais dois punhados de açúcar (salpicar). Daí, com uma colher, espalhe a manteiga previamente derretida.

Repita a operação, abrindo mais uma bolinha de massa, da mesma forma que a primeira, esticando em cima daquela já recheada.

Obs.: aquele excesso de massa que passou da assadeira, retire-o depois de recheado.

Espalhe novamente com a mão, dois punhados de ricota e dois de uva-passas, o açúcar e a manteiga.

Use todas as bolinhas e não deixe faltar nenhum dos ingredientes; não economize. Asse em forno previamente aquecido por mais ou menos 45 minutos.

Na primeira camada ficará uma casquinha morena; este é o ponto.

Sirva com chá típico cigano.

Bom apetite!

Guibanitsa

Esta é uma receita deliciosa de pão de queijo.

Este pão é originário da Iugoslávia, que veio com os ciganos em meados dos anos 1940, com os matchiwaias. Este é um alimento típico cigano, que não pode faltar nas festas em geral. De preferência, é servido quente:

Ingredientes

1 quilo de farinha de trigo

12 ovos

2 queijos frescos com sal

250 gramas de manteiga

Modo de Fazer:

Prepare a massa do mesmo modo que se faz para o civiaco, sem adicionar açúcar.

Deixe descansar do mesmo modo.

Desmanche o queijo fresco (com as mãos) bem miúdo.

Adicione cinco ovos inteiros e seis gemas, uma colher de chá de sal e misture. Derreta a manteiga e reserve.

Divida a massa em duas partes e abra em cima de uma toalha; coloque na mesa uma das partes da massa.

Abra até ficar bem fina. Retire as bordas e espalhe o queijo picado em cima da massa e derrame metade da manteiga em cima dela. Dobre as quatro bordas da massa mais ou menos uns quatro dedos.

Escolha um dos lados e enrole tipo rocambole. Coloque em uma assadeira e leve ao fogo brando por 40 minutos. Para colocar na assadeira, peça ajuda. Sirva com café ou chá.

Bom apetite!

A Guibanitsa também pode ser servida doce, com maçã ou banana.

Parte 2

Poemas e Trovas Ciganas

Liberdade

Nós, ciganos, temos uma só religião:
A liberdade.
Por ela renunciamos à riqueza, ao poder,
à ciência e à glória.
Vivemos cada dia como se fosse o último.
Quando se morre, deixa-se tudo: a mísera
carroça como um grande império.
E julgamos, naquele momento, que foi melhor
ter sido um cigano do que um grande rei.
Não pensamos na morte, não a tememos, eis tudo.
Nosso segredo é este: gozar cada dia as pequenas
coisas que a vida nos oferece e os outros não sabem apreciar:

o amanhecer do dia, um banho na fonte, o olhar de alguém que nos ama.

É difícil compreender essas coisas, sei.

Cigano se nasce.

Agrada-nos caminhar sob a luz das estrelas.

Contam-se estranhas histórias sobre os ciganos.

Diz-se que leem o futuro nas estrelas

e que possuem o segredo do amor.

Uma pessoa não crê nas coisas que não saiba explicar.

Mas nós não procuramos explicar as coisas em que acreditamos.

Nossa vida é simples, primitiva.

Basta-nos ter por teto o céu, uma fogueira

para nos aquecer, e nossas canções,

quando nos visita a tristeza.

(Spatzo)

Poema de Jerônimo Guimarães

Até nas flores se encontra

A diferença da sorte

Umas enfeitam a vida

Outras enfeitam a morte.

Umas nascem para o adorno

De ricos salões doirados

Outras, mais tristes, ensombrece

O retiro dos finados.

Não admira, portanto,

Bons ou maus fins dos viventes

Quando até as próprias flores

Têm destinos diferentes.

(Jerônimo Guimarães)

Sangue Cigano

Encantado sejas, sangue cigano,

Único responsável pela magia

Que encanta meu povo.

Bendita sejas, mulher cigana,

Que carregas no sangue séculos de dor

Que semeado em teu ventre vai nosso povo.

Basta teu olhar para derramar o encanto

que nos cerca e nos traz vivos até agora.

Com tua graça e tua dança remontas nossa história

e nossos costumes.

Com tuas mãos carregas nossas crianças e nossa tradição.

Com teu sorriso fascinas o ar de qualquer lugar.

Com teus pés caminhas como leal escudeira pelo

mundo.

Musa encantadora, faz dos ciganos homens

premiados por Deus.

Portadora da magia e das sábias palavras que

movimentam os dons tão propagados

Sangue cigano

Orgulho de nosso povo

Mistério no mundo

De amor profundo

Kon si rat rom, si sunakay ando ilo

Nelson Pires Filho

Mudando um pouco o rumo

Até o momento, detivemo-nos na explanação sobre ciganos e sua cultura, ou seja, sobre a sociedade e os hábitos dos ciganos em vida na terra, encarnados; de agora em diante começaremos a falar, mesmo diminutamente, dos espíritos que foram ciganos no plano espiritual e suas atuações em benefício do ser humano, como modesta fonte de informações àqueles que desejam obter mais informações desses espíritos dentro do quadro espiritual e suas dimensões. É sabido que a sociedade, em uma boa parcela, vê nos espíritos ciganos grande chance de proteção e de alcançar objetivos, sem contudo, em boa parte dessa parcela, obterem ferramentas para tanto. Sabemos que os ciganos encarnados por convicções religiosas ou pessoais em boa parte não concordam com a doutrina espiritualista que fala sobre ciganos na espiritualidade, porém não se trata os espíritos ciganos de entes espirituais diferentes de nenhum outro, e também encontram-se incluídos dentro dos mistérios universais espirituais até de forma benéfica, o que nos estimula a esse modesto trabalho e aos que embora ciganos concordem com esses aspectos, ficamos felizes também. Desta forma, passamos a discorrer sobre um ponto que mantem grande carência de informações, máxime na prática espiritualista onde a manifestação das falanges ciganas tem sido frequente.

Os Ciganos e a Espiritualidade

Mostra-nos a história toda a magística que acompanha esse povo, bem como os dons de forte intuição e perspicácia do que era anteriormente chamado de povo errante e que só tem contribuído beneficamente para nossa cultura em geral, principalmente nos atos relativos à mística e adivinhação. Trazem experiências de todo o mundo, especialmente aquelas adquiridas junto ao povo hindu, como a quirologia e outras mais, exercidas pela sensibilidade nata que emanam e desenvolvem em suas crianças, como a vidência, o copo com água, os rituais mágicos ligados à Natureza, a leitura da sorte através de oráculos como o baralho e o tarô, etc., bem como a experiência trazida pela genética espiritual, que lhes proporciona esse exercício.

Como já deixamos claro, não é nossa pretensão apresentar nenhum estudo detalhado sobre o povo cigano na espiritualidade, mesmo porque não nos sentimos preparados para tanto; tentamos aqui fazer um breve relato sobre seus costumes e tradições mais conhecidas, para que então pudéssemos entrar no aspecto espiritualista e magístico de sua cultura, cuja importância nos é relevante. Sabemos que não é do agrado de grande parte dos ciganos estabelecer uma relação efetiva de seu povo e antepassados com o ramo da ciência espírita e da espiritualidade. Muitas obras, entretanto, têm sido escritas e muitos rituais, magias ou feitiços têm sido colocados como forma de se atingir alguns objetivos que são julgados necessários e do desejo de muitos. Porém, dentro de uma ótica espiritualística e por orientação espiritual, acreditamos que o povo cigano, tanto quanto outros povos detentores de egrégoras distintas e próprias, tem um passado no plano do serviço espiritual de muita relevância, sendo que, a respeito de suas conhecidas falanges, algumas coisas que nos são permitidas revelar devem ser esclarecidas para dar um suporte melhor a esta obra.

Assim, como muitos grupos e massas coletivas de espíritos são colocados em várias dimensões galácticas e destinados ao encarne, dentro de um critério divino de avaliação e evolução, a exemplo de Capela e outros, os espíritos ciganos que hoje levam esse nome e que foram trazidos de outra galáxia para reencarne em massa em nosso planeta Terra, imigrando em massa por designação divina de outras dimensões planetárias, carregam consigo a sabedoria, os costumes e o conhecimento já alcançados até então, por razões que não são de nosso conhecimento, e que por milênios vêm reencarnando e seguindo a ordem natural da evolução, conseguindo pelos tempos conquistar seu próprio espaço entre os demais, produzindo e conseguindo seus próprios gráficos universais de força no plano espiritual, cuja magística e a mágica dos simbolismos encontram seu espaço gloriosamente. Acreditamos que também em função da união que os abençoa, acabaram por socorrer seus próprios pares que, agrupando-se em plena evolução, tornaram-se uma das mais prestigiadas correntes de trabalho no plano espiritual, motivo pelo qual, a par de seus já concebidos conhecimentos e magística, ocupam hoje lugar de destaque nesta dimensão astral, bem como se justifica a cada passo, ao longo do tempo, a trajetória admirável que vêm travando junto às falanges da Umbanda Divina e de toda a espiritualidade. Explicando-se, desta maneira, a importância do trabalho que vêm desenvolvendo neste plano, onde, por motivos óbvios, carregam a denominação de corrente cigana, tanto quanto as outras tantas correntes de trabalho que conhecemos, com uma tendência natural de tornar-se cada vez mais conhecida.

Desta feita, carregam as falanges ciganas com as orientais uma importância muito elevada, sendo cultuadas por todo um seguimento espírita e que se explica por suas próprias razões, elegendo a prioridade de trabalho dentro da ordem natural das coisas, em suas próprias tendências e especialidades.

Assim, numerosas correntes ciganas estão a serviço do mundo imaterial e carregam, como seus sustentadores e dirigentes, aqueles espíritos mais evoluídos e antigos dentro da ordem de aprendizado, confundindo-se muitas vezes pela repetição dos nomes comuns apresentados para melhor reconhecimento, preservando os costumes como forma de trabalho e respeito, facilitando a possibilidade de ampliar suas correntes com seus companheiros desencarnados e que buscam no universo astral seu paradeiro, como ocorre com todas as outras correntes do espaço. O povo cigano designado ao encarne na Terra, pelos tempos e por todo o trabalho desenvolvido até então, conseguiu conquistar um lugar de razoável importância dentro desse contexto espiritual, tendo muitos deles alcançado a graça de seguirem para outros espaços de maior evolução espiritual, com outros grupos de espíritos, também de longa data de reencarnações repetidas na Terra e de grande contribuição, caridade e aprendizado no plano imaterial.

A argumentação de que espíritos ciganos não deveriam falar por não ciganos ou por médiuns não ciganos e que se assim o fizessem deveriam fazê-lo no idioma próprio de seu povo, é totalmente descabida e está em desarranjo total com os ensinamentos da espiritualidade e de sua doutrina evangélica. Até as impossíveis limitações que se pretende implantar com essa afirmação na evolução do espírito humano e na lei de causa e efeito, pretendendo alterar a obra divina do Criador e da justiça divina, como se fosse possível questionar os desígnios da criação, carregando para o universo espiritual nossas diminutas limitações e desinformação, fato que nos levaria à inviabilização doutrinária, bem como a eleger nossa estada na Terra como mera passagem e de grande prepotência discriminatória, destituindo lamentavelmente de legitimidade as obras divinas.

Outrossim, as falanges ciganas, tanto quanto todas as outras, mantêm-se organizadas dentro dos quadros ocidentais e dos mistérios que não nos é possível relatar. Existem obras que dão conta de suas atuações dentro de seu plano de trabalho, chegando mesmo a divulgar passagens de suas encarnações terrenas. Agem no plano da saúde, do amor e do conhecimento, suportam princípios magísticos e têm um tratamento todo especial e diferenciado de outras correntes e falanges.

Os Espíritos Ciganos na Religião de Umbanda

Ao contrário do que se pensa, os espíritos ciganos reinam em suas correntes, preferencialmente dentro do plano da luz e positivo, não trabalhando a serviço do mal e trazendo uma contribuição inesgotável aos homens e aos seus pares. É evidente que dentro do critério de merecimento, tanto quanto qualquer outro espírito, teremos aqueles que não agem dentro desse contexto e se encontram espalhados pela escuridão e a seus serviços, por não serem diferentes de nenhum outro espírito humano.

Trabalham preferencialmente na vibração da direita, e aqueles que trabalham na vibração da esquerda não são os mesmos espíritos de ex-ciganos, que se mantêm na direita, como não poderia deixar de ser, e ostentam a condição de Guardiões e Guardiãs. O que existe são os Exus Ciganos e as Moças Ciganas, que são verdadeiros Guardiões a serviço da luz nas trevas, como todo Guardião e Guardiã dentro de seus reinos de atuação, cada um com seu próprio nome de identificação dentro do nome de força coletivo, trabalhando na atuação do plano negativo a serviço da justiça divina, com suas falanges e trabalhadores, levando seus nomes de mistérios coletivos e individuais de identificação, assunto este que levaria uma obra inteira para se abordar e não se esgotaria.

Contudo, encontramos no plano positivo falanges diversas, chefiadas por espíritos ciganos diversos, em planos de atuação distintos, porém, o tratamento religioso não difere muito e se mantém dentro de algumas características gerais. É imenso o número de espíritos ciganos que alcançaram lugar de destaque no plano espiritual e são responsáveis pela regência e atuação em mistérios do plano de luz e seus serviços, carregando a mística de seu povo como característica e identificação, da mesma forma que ocorre com outras falanges como as de caboclos, pretos-velhos, índios, Cosme, etc.

Dentre os mais conhecidos, podemos citar os ciganos Pablo, Wlademir, Ramirez, Juan, Pedrovick, Artemio, Hiago, Igor, Vitor e tantos outros. Da mesma forma as ciganas, como Esmeralda, Carme, Salomé, Carmensita, Rosita, Madalena, Yasmin, Maria Dolores, Zaira, Sunakana, Sulamita, Wlavira, Iiarin, Sarita e muitas outras. É imprescindível que se afirme que na ordem elencada dos nomes não existe hierarquia, apenas lembrança e critério de notoriedade, sem, contudo, contrariá-la de todos os outros ciganos e ciganas, que são muitos e com o mesmo valor e importância.

Por sua própria razão distinta, também diferenciada, como já dissemos, é a forma de cultuá-los, sem pretender jamais estabelecer regras ou esgotar o assunto, o que jamais foi nossa pretensão, mesmo porque não possuímos conhecimento para tanto. O fato é que sofremos de uma carência muito grande de informações sobre o assunto e a intenção é dividir o que conseguimos aprender sobre esse seguimento e tratamento. Somos conhecedores de que muitas outras forças também existem e o que passamos neste trabalho são maneiras simples a esse respeito, sem entrar em fundamentos mais complexos.

É importante que se esclareça que a vinculação vibratória e de axé dos espíritos ciganos tem relação estreita com as cores estilizadas no culto e também com os incensos, prática muito utilizada entre os ciganos. Eles usam muitas cores em seus trabalhos, mas cada um tem sua cor de vibração no plano espiritual e uma outra cor de identificação é utilizada para velas em seu louvor. Uma das cores, a de vinculação, raramente se torna conhecida, mas a de trabalho deve sempre ser conhecida, para prática votiva das velas, roupas, etc.

Os incensos são sempre utilizados em suas atividades e de acordo com o que se pretende fazer ou alcançar.

Para o cigano de trabalho, se possível, deve-se manter um altar separado do altar geral, o que não quer dizer que não se possa cultuá-lo no altar normal. Esse altar deve manter sua imagem, o incenso apropriado, uma taça com água e outra com vinho, mantendo a pedra da cor de preferência do cigano em um suporte de alumínio, fazendo oferendas periódicas para ciganos, mantendo-o iluminado sempre com vela branca e outra da cor referenciada. Da mesma forma, quando se tratar de ciganas, apenas alterando a bebida para licor doce. E sempre que possível derramar algumas gotas de azeite doce na pedra, deixando por três dias, e depois limpá-la.

Os espíritos ciganos gostam muito de festas e todas elas devem acontecer com bastante fruta, todas que não tenham espinhos, de qualquer espécie, podendo se encher jarras de vinho tinto com um pouco de mel e ainda fatiar pães do tipo broa, passando em um de seus lados molho de tomate com algumas pitadas de sal e levá-los ao forno, por alguns minutos, muitas flores silvestres, rosas, velas de todas as cores e, se possível, incenso de lótus.

As saias das ciganas são sempre muito coloridas e o baralho, o espelho, o punhal, os dados, os cristais, a dança e a música, moedas, medalhas, são sempre instrumentos magísticos de trabalho dos ciganos. Eles trabalham com seus encantamentos e magias e os fazem por força de seus próprios mistérios, olhando para dentro das pessoas e de seus olhos.

Uma das lendas ciganas diz que existia um povo que vivia nas profundezas da terra e eram obrigados a permanecer na escuridão, sem conhecer a liberdade e a beleza. Um dia, alguém resolveu sair e ousou subir às alturas e descobriu o mundo da luz e suas belezas. Feliz, festejou, mas ao mesmo tempo ficou atormentado e preocupado em dar conta de sua lealdade para com seu povo e, retornando à escuridão, contou o que aconteceu. Foi então reprovada sua atitude e orientado de que lá era o lugar de seu povo e dele também. Contudo, aquele fato gerou um inconformismo em todos eles e acreditando merecerem a luz e viver bem, foram aos pés de Deus e pediram a subida ao mundo dos livres, da beleza e da Natureza. Deus, preocupado em atendê-los, concedendo, concordou com o pedido, determinando então que poderiam subir à luz e viver com toda liberdade, mas não possuiriam terra nem poder e em troca Ele lhes concederia o dom da adivinhação, para que pudessem ver o futuro das pessoas e aconselhá-las para o bem.

É muito comum usar-se em trabalhos ciganos moedas antigas, fitas de todas as cores, folha de sândalo, punhal, raiz de violeta, cristal, lenços coloridos, folha de tabaco, tacho de cobre, de alumínio, cestas de vime, pedras coloridas, areia de rio, vinho, perfumes e escolher datas certas em dias especiais, sob a regência das diversas fases da Lua.

Muitas vezes se formam no espaço agrupamentos de espíritos que conviveram em um mesmo clã e percorrem a caminhada da luz e dos trabalhos de caridade, juntos, engrossando fileiras nas correntes ciganas.

As consagrações ciganas devem, em seus trabalhos, usar sempre comidas no ritual próprio, isto é, no ritual cigano.

Mister se faz esclarecer que por vezes se ouve falar de casamentos ciganos realizados em centros de Umbanda; na verdade, o que se realiza ali não é nenhum casamento cigano, mas, sim, um casamento dentro dos preceitos religiosos de Umbanda levado a efeito por um mentor das falanges ciganas e que não tem nenhuma relação com os casamentos ciganos realizados por ciganos encarnados, ou seja, pelo povo cigano. E diferente não poderia ser, porque além de tratar-se de uma cerimônia religiosa, mesmo que tenha sido realizada por um mentor das falanges ciganas, em nada se parece ou relação alguma tem com os casamentos não religiosos dos ciganos, primeiro porque é feita por um mentor religioso, segundo porque os casamentos ciganos que eram realizados pelo povo cigano não carregavam relação religiosa, e hoje em dia chega a ser comum, dependendo da família e sua religião, escolherem um sacerdote comum da religião que professam para tal mister.

Também acreditamos ser importante esclarecer que no povo cigano não existe conversão como ocorre com outros povos religiosos, porque cigano não é religião, e sim etinia. Cigano nasce cigano, isto é, nasce de ventre de mãe cigana e pai cigano, tem de ter sangue cigano para ser cigano. Não se converte alguém que não seja de sangue cigano para se tornar cigano, é um equivoco o fato de se afirmar que alguém foi batizado cigano e, por isso, virou cigano, isso não é possível dentro da cultura e do povo cigano.

Alguns dos Incensos e suas Funções Astrais

MADEIRA: para abrir os caminhos

ALMÍSCAR: para favorecer os romances

JASMIM: para o amor

LÓTUS: paz, tranquilidade

BENJOIM: para proteção e limpeza

SÂNDALO: para estabelecer relação com o astral

MIRRA: incenso sagrado usado para limpar após e durante os rituais;

também é usado quando vai se desfazer alguma demanda ou feitiço

LARANJA: para acalmar alguém ou o ambiente

Todo incenso deve ser usado com cautela, nunca em demasia como fazem algumas pessoas, e deve ser sempre dirigido a alguma causa. Não pode ser utilizado simplesmente por usar, por nada ou sem motivo, precisa sempre ter um dono que o receba e que tenha seu nome pronunciado no momento do pedido. O incenso é um expediente sagrado e tem sido usado em rituais sagrados de toda espécie, desde que o homem é homem. Mantém um grande poder de evocação espiritual e astral e não deve ser usado tão somente para perfumar ambientes ou sem causa, porque sempre estaria alcançando uma egrégora qualquer com a vibração provocada e que está quieta em seu lugar; tem o condão de atrair energia de toda espécie e dos dois planos astrais, negativo e positivo, tem força de ritual e de alimento também, tem força de rejeição ou de atração, dependendo do patamar alcançado e da situação especial de quem os acende. É por demais conhecido no mundo da mística astral e, por vezes, seu uso ou o que emana no mundo imaterial, chega a ser disputado quando não pertence a ninguém que o esteja recebendo, podendo muitas vezes provocar visitas ansiosas por novos incensos a ser utilizados.

O uso do incenso pode parecer simples e de nenhuma gravidade, bem como aconselhado em outras egrégoras como de bom agouro e condutor de sorte, limpeza e bom astral e em algumas vezes até como calmante ou para nivelação energética de ambientes. Contudo, seu uso, como tudo no mundo, deve ser feito com o critério necessário e mantida a relação correta com o que e quem se pretende atingir, em sua ardência e utilização, sem contar com as preferências milenares já existentes, em alguns casos, no mundo imaterial, por uma avalanche de viventes e energias de tipos diversos. Não é aconselhável o uso inadvertido, ou pouco conhecido, de determinados instrumentos, destinados, geralmente, a rituais, consagrações e outros tantos motivos. Para tal finalidade, temos a necessidade de orientação, pesquisa e instrução a respeito. As coisas que por vezes nos parecem muito simples e que por qualquer motivo nos fazem um aparente bem, mas não estão dentro de nosso domínio de conhecimento, requerem maior atenção e aprendizado.

Quando se tratar de um espírito cigano, com certeza ele indicará o incenso de sua preferência ou de sua necessidade naquele momento. Em geral, o incenso mantém sempre correspondência com a área de atuação dele ou dela ou do trabalho que estará sendo levado a efeito. Quando se tratar de oferendas, cujo incenso certo para acompanhar não tenha ainda sido estipulado, o incenso que deve ser utilizado deverá ser sempre o de maior correspondência com o próprio cigano ou com a cigana. Essa regra é válida também para as consagrações. No caso de uma oferenda normal e tão somente necessária para manutenção, agrado ou tratamento, sugere-se o incenso espiritual, ou de rosa, que mantém efeito de evocação de leveza, de elevação ou mesmo de louvação espiritual.

Quando se pretender que alguma coisa, objeto ou ambiente seja bem energizado, ou mesmo se tratar de alguma consagração de algum instrumento utilizado por eles e for feito sem a participação efetiva do cigano ou cigana, mas com sua devida autorização, pode-se usar o incenso de ópio ou mesmo sândalo, se nenhum outro foi indicado. É interessante que se tenha sempre à mão esses incensos, no caso de algum cigano pedir para exercer vibração de energização em algum objeto qualquer que deseje dar ou mesmo preparar para alguém.

É comum entre os ciganos espirituais o trabalho com amuletos ou objetos energizados; portanto, mantê-los à vista será prudente.

O ideal é que toda vez que se for entregar qualquer oferenda cigana, só o faça após as 24 horas, para que ela possa ser aceita e recebida no local onde estivermos ou no próprio centro espírita; porém, se não tivermos outra opção ou se tratar de residência, a sugestão é que se faça sempre de dia e, se possível, no horário de maior movimento comercial. Acreditamos que entre 11 e 16 horas seja o melhor horário e sempre em algum lugar, de preferência alguma praça, nunca em uma encruzilhada, porque para os Exus Guardiões e Moças os locais são geralmente previamente designados, ou então, conforme o caso, em uma estrada reta onde não se vê a olho nu a próxima curva ou ainda, conforme o caso, nos lugares convencionais, ou seja, encruzilhada macho ou fêmea, ou ainda alguma praça, dependendo do pedido. Assim, tratando-se das correntes ciganas do plano positivo, sugerimos uma praça onde haja bastante movimento, de preferência em área comercial e entre 11 e 16 horas, debaixo de uma árvore bonita e frondosa. Regra geral, na maioria das vezes, as oferendas para os espíritos ciganos são feitas em recipientes de vime, quando se trata de agrado, comida ou agradecimento.

Os objetos que normalmente se usam são: o incenso correspondente ou, na falta de se saber exatamente qual, poderá ser usado o de rosa ou de jasmim, moedas antigas em número de sete, um baralho virgem aberto voltado para cima, um perfume. Se for para uma cigana, poderá ser um pote de água, várias fitas estreitas de pano de todas as cores, menos preta, tudo em cima de uma toalha branca ou vermelha, iluminado com uma vela branca. Essa é a oferenda mais comum e mais simples de se fazer, entregando-a direto em uma praça movimentada, durante o dia.

Algumas pessoas costumam acrescentar, nesse tipo simples de oferenda, goiabada ou frutas que não contenham espinhos, de qualquer espécie e abertas, ou ainda um punhal pequeno ou de tamanho médio, sem estar afiado; outras costumam, em vez de colocar tudo em um pano branco ou vermelho, oferecer já em uma cesta de vime ou palha; contudo, o que importa é o amor com que se está fazendo a oferenda e a fé depositada no cigano ou na cigana. Se você não tiver nenhum cigano definido, poderá oferecer ao seu cigano ou sua cigana de preferência, apenas dizendo isso com muito carinho.

Pode ser feita em qualquer fase da Lua, porque a entrega está sendo realizada de dia e a intenção é tão somente de homenagear ou pedir alguma coisa boa ou mesmo de agradecer. Aconselhamos observar as fases e dias da Lua, nos casos de rituais específicos ou assentamentos de ciganos ou de ciganas, ou quando se tratar de consagração de boneca cigana; ao contrário, somente quando o caso requerer, podendo ainda ser feita em qualquer dia da semana, desde que dentro dos padrões estipulados para a entrega.

Sugestões especiais para oferendas

Uma bebida especial para qualquer cigano

Torrar um pouco de milho comum

Juntar 250 gramas de ameixa, descascá-las e em seguida amassá-las bem

Um pouco de cravo-da-índia, retirando-se de dentro aquela bolinha, que é pimenta

Um pedaço de breu

Saião e erva-cidreira amassados

Noz-moscada ralada

Um pouco de chocolate em pó

Em seguida, moer tudo junto e jogar vinho branco (uma garrafa). Servir.

Uma comida especial para qualquer cigano

Sete pães de centeio

Um bife de carne de soja

Um pouco de aveia (flocos)

Colocar os pães em uma travessa de madeira e o bife em uma panela de barro. Depois acrescentar sete morangos, a aveia e com um pouco de leite colocar em uma pequena travessa de louça branca.

Acender três velas, sendo uma branca, uma vermelha e uma rosa em posição de triângulo, junto à oferenda, deixar queimar até terminar, quando elas acabarem, entregar em um campo bem verde com uma vela de sete dias da cor amarela, com um incenso de morango ou benjoim.

Chá para espíritos ciganos

    Dois copos de água mineral sem gás e sem gelo

    Uma tigela branca de louça

    Uma maçã

    Algumas uvas de qualquer tipo

    Damasco

    Limão sem casca

    Dois morangos

Picar todas as frutas em uma tigela; em seguida, amassá-las com um amassador de madeira virgem. Depois, utilizar a água levando-a ao fogo com chá preto. Jogar o chá já feito na tigela com os outros ingredientes, mexendo e chamando pelo cigano ou cigana. Deixar por três horas imantando e depois coar e tomar pedindo o que desejar de bom.

Oferenda para qualquer cigana

    Metade da casca de uma laranja

    Uma semente de erva-doce

    Meia xícara de arroz

    Três metades de pêssego em calda picadas

Cozinhar o arroz com a casca de laranja e a semente da erva-doce, até ficar cozida e seca. Quando tiver esfriado totalmente, coloque um pouco em uma taça e em seguida o pêssego em calda picado, e assim até encher a taça, por cima de tudo ponha uma cereja e ilumine com uma vela branca simples, a entrega deve ser embaixo de uma árvore bem frondosa, em uma praça.

Uma oferenda especial para qualquer cigana

Sete goiabas vermelhas grandes

Sete pedaços de fitas estreitas de pano coloridas

Sete doces finos

Sete pães árabes

Sete galhos de hortelã miúda

Gengibre ralado

Um melão grande

Sete palmas de Santa Rita, sendo duas vermelhas, duas amarelas, duas rosas e uma branca

Um lenço estampado em várias cores, menos preta, de formato retangular

Uma cesta razoável de vime, forrá-la toda com papel laminado de cor dourada (por dentro)

Sete velas coloridas, sendo: uma branca, uma amarela, uma vermelha, uma laranja, uma azul, uma verde e uma marrom

Retire a tampa do melão, cortando-a em formato de ziguezague, como se o desenho com as pontas do corte formasse uma flor, ponha o melão no meio da cesta de vime já forrada com o laminado dourado. Dentro do melão coloque os sete doces finos, em volta dele as goiabas e ao redor delas os sete pães árabes, sendo que deverão ficar metade dentro do cesto e o resto deles saindo para fora. Em seguida ponha, as sete palmas de Santa Rita entre os pães, alternando-os, juntamente com os sete galhos de hortelã miúda. Após feito isso, comece a colocar as fitas estreitas de pano coloridas com as pontas saindo de dentro do melão e saindo suas outras pontas para fora do cesto de vime. Jogue o gengibre ralado distribuindo-o sobre tudo que já foi feito dentro do cesto de vime.

Por fim, coloque a cesta em cima do lenço estampado de forma que a cesta fique bem centralizada em cima do lenço. Acenda a seguir um incenso por dentro e no meio do melão e distribua, ao redor de tudo e fora do lenço, as sete velas indicadas e coloridas, oferecendo à cigana aquela oferenda.

Passadas 24 horas do oferecimento e das velas acesas, retire a oferenda do local e entregue-a com todo respeito e amor debaixo de uma árvore bem frondosa em alguma praça bem bonita, iluminando a entrega com uma vela simples na cor amarela.

Uma oferenda para um cigano

Pegue uma taça e coloque vinho tinto. Em seguida, corte a superfície de uma romã levemente em seus quatro cantos até o centro; a seguir, coloque outra taça com água mineral sem gás e sem gelo, iluminando com uma vela branca e outra vermelha.

Deixe por três dias no altar ou oratório, fazendo seu pedido. Em seguida, despache o vinho e a água na terra, debaixo de uma árvore bonita e frondosa, despachando também a romã.

As taças podem ser guardadas para outra oferenda para o mesmo cigano.

Um banho cigano para limpeza de aura e do espírito

Noz-moscada ralada

Cravo-da-Índia

Canela em pau

Ferver um litro de água em um recipiente de alumínio. Assim que começar a borbulhar, apagar o fogo, jogando dentro da água a noz-moscada ralada, o cravo-da-índia após retirar a bolinha de dentro dele (pimenta), a canela em pau, uma colher de chá de açúcar refinado, mexer da esquerda para a direita da metade superior da panela sem ultrapassar a outra metade contrária, com uma colher de pau, saudando e pedindo axé e o que deseja à corrente cigana ou ao seu cigano ou cigana preferidos. Após fazer isso, abafa-se, com uma tampa qualquer, aguardando até que o banho amorne. Em seguida, misture este banho em um tanto de água fria suficiente para o uso necessário e torne a mexer bastante. O banho deve ser ministrado desde a cabeça até os pés, de frente, de costas e dos lados, não devendo secar-se com nenhuma toalha, não deverá ainda fazer uso de álcool, sexo ou carne vermelha, durante no mínimo 24 horas a partir da feitura do referido banho. Sempre pedindo força, sorte e axé.

Uma oferenda para ciganos ou ciganas

É possível também preparar, em um recipiente de alumínio ou de ferro, uma compota de doce carregada, recoberta com creme branco e, em seguida, regar tudo com bastante licor de anis, entregando aos ciganos em uma praça bem movimentada com sete moedas antigas, em se tratando de cigano; se for uma cigana, três pulseiras cor de ouro, feitas de moedas, que devem ser colocadas ao redor da oferenda.

Tudo deve ser iluminado por uma vela de cor branca simples, outra de cor azul, se for cigano; se for cigana, de cor amarela, e, finalmente outra de cor vermelha, colocadas em forma de triângulo, sendo a branca na ponta de cima, de preferência entre 12 e 17 horas, pedindo sobre amor, de relacionamento já existente, ou tranquilidade e paz familiar ou de grupos sociais pequenos.

Oferenda especial para o cigano Wladimir

Peito de peru moído

Um ovo de galinha branco

Leite de cabra

Pimenta-do-reino branca

Molho de hortelã picado

Trigo usado para quibe

Sal à vontade

Uma colher de sopa de vinho branco seco

Misturar bem tudo com o peito de peru, achatando-os e modelando-os como se fossem medalhas ou medalhões. Frite no óleo normal quente, e em um prato branco virgem forrado de folhas de hortelã coloque os medalhões de modo a ficarem bonitos e bem colocados, quando estiverem frios.

Em seguida entregue esta oferenda no oratório de ciganos, no altar ou em uma praça bonita e bem movimentada, de gramado plano, iluminando-a com uma vela de sete dias na cor vermelha com um cálice de vinho branco seco ao lado, devendo ainda acender e oferecer também um incenso de raízes no momento de entregar a oferenda ao cigano Wladimir.

Firmeza de Ciganos

Como firmar o espírito de uma cigana na direita

Sabemos que os espíritos ciganos muitas vezes têm um trânsito grande dentro do plano espiritual, alcançando e cruzando o plano intermediário com facilidade; contudo, é importante se reafirmar que os ciganos e toda a corrente cigana que trabalham no plano positivo não trabalham em giras do plano negativo, ao contrário do que defendem alguns, mantendo-se cada um em seu próprio plano, seus próprios reinos de atuação e seus tratamentos diferenciados na medida em que nos for possível. Assim sendo, tratamos aqui de firmar forças de ciganas que militam no plano positivo, o que não quer dizer que seu plano de atuação seja menor ou maior do que as que militam no reino negativo. Apenas mantêm relações que não se confundem no plano astral e diante do plano material e dos espíritos encarnados e seus feitiços. Dessa forma, passamos a descrever como se poderá firmar as forças de uma cigana em ritual específico cigano para que mais presente esteja seu axé, sua força, sua luz, e mais eficaz seja todo tipo de magia emanada por esse reino maravilhoso. No plano negativo, como já descrevemos anteriormente, os assentamentos de ciganos ou ciganas não se confundem com o que se pretende nesta obra e com essas modestas informações, sendo claro que, respeitadas as devidas proporções e suas peculiaridades, são feitos de acordo com os mandamentos do mundo negativo em relação ao mundo material. Sabemos ainda que todo assentamento ou firmeza que se propõe a fazer na verdade não só promove a abertura de um facho no mundo astral, mas também a relação de proximidade com o portal mágico respectivo, deixando claro que naquele momento se promove um pacto de trabalho espiritual e de relação muito próximo entre o espírito cigano não, importando qual seu reino de atuação, e aquele cuja magia estiver sendo feita, firmada ou assentada.

É importante nessa oportunidade desmistificar a ideia de que algumas casas ou quem quer que seja tenham o potencial de retirar do médium aqueles ciganos, ciganas ou qualquer de seus mentores que trabalham consigo, bem como produzir qualquer tipo de mal, como amarração ou feitiço, que seja capaz de promover a indolência ou o prejuízo daquela entidade, que não estão sujeitas ao poder que alguns companheiros encarnados acreditam possuir, deixando a certeza absoluta de que cada um segue com o que é seu, sem a menor possibilidade de lhe ser retirada a proteção ou qualquer mentor que mantenha por obra da própria Lei Universal espiritual.

Entretanto, é de bom alvitre que se mantenha sempre sob seus cuidados toda e qualquer firmeza ou assentamento, não importando o reino de atuação com quem ali se pactuou o médium. Sendo certo que, embora não haja a menor possibilidade de ocorrer essa interferência citada, deve-se ter cuidado para que maus irmãos ou companheiros não promovam com sua maldade a única interferência possível de se promover, que é a de tentar desaproximar o mentor do médium, dando à firmeza ou ao assentamento o tratamento errado, que de qualquer forma não perdurará por muito tempo, mas criará um aspecto diferenciado naquela relação que o médium acabará consequentemente por ressenti-la, até que a própria natureza universal o restitua à sua própria normalidade ou ele mesmo promova com rapidez o tratamento ideal. Outrossim, é louvar a loucura e a falta de instrução a respeito da espiritualidade e nossa relação com ela acreditar que é possível aprisionar, tirar, manter sob sua guarda ou comandar qualquer entidade, de quem quer que seja, como se tivéssemos o poder divino sob nossas mãos, e assim subestimar todo um comando, ou reino de força, e até mesmo a própria entidade com quem se pretende o pacto de trabalho espiritual e seu potencial.

Dessa forma, não devemos olvidar que promover a firmeza de uma entidade junto a nós nesse pacto de força é uma responsabilidade inalienável e de grande monta, devendo neste ato ficar claro que quem o desejar e o fizer leva consigo a responsabilidade devida e o conhecimento de que, a partir desse ato, seu dever junto àquela entidade, junto ao plano espiritual e à comunidade encarnada, passa a ter o preço merecido e desejado.

O que muitas vezes pode parecer simples não quer dizer que não seja eficaz ou que não tenha a importância esperada. O que mais se destaca em todo tipo de firmeza ou pacto é o tanto de si que se desprende naquele momento e se envolve com a companheira ou companheiro do lado espiritual, misturando assim suas energias e mantendo-se próximos efetivamente, o que com o tempo acaba por somatizar aquelas diferenças positivas acumuladas. Todo e qualquer objeto utilizado ou que seja extraído da própria natureza leva consigo seu potencial e sua força de recepção, que sem o livre-arbítrio destinado ao homem e a alguns animais passa a ser parte integrante daquela relação e comando. Assim, para que possamos de maneira branda atingir nosso objetivo, utilizamo-nos de fundamentos simples e de admirável importância dentro do ritual cigano.

Primeiramente deve-se colher um tanto de areia de rio sem que ela esteja tocada por suas águas.

Em seguida, pega-se um otá que aceite comida e se enterra no lugar do qual se retirou aquela areia, deixando-o descansar por três dias.

Passados os três dias, desenterra-o e, colocando aquela areia inicialmente retirada em uma terrina branca ou bege, enterra-se ali o otá à noite, no início da fase de lua nova, onde deverá permanecer a céu aberto durante toda essa fase, durante toda a fase da lua crescente, devendo ser retirado somente no primeiro dia da chegada da lua cheia, antes do amanhecer. No momento em que se desenterrar o otá deve-se mostrá-lo à lua e pedir que a cigana (dizendo o nome dela) naquele instante aceite aquele otá, voltando-o para dentro da terrina que durante todo o tempo deve se manter destampada, não importando o clima ou o tempo que fizer, ao contrário, estará diante do axé necessário, não enterrando-o desta vez, apenas mantendo-o em aguardo.

Depois, fazer um chá-mate bem forte, misturado com noz moscada ralada e, quando estiver frio, retirar o otá e mergulhá-lo no chá até que absorva bem aquele líquido, deixando-o 24 horas sob aquele chá. Após feito isso, leva-se à noite com as mãos o otá à lua cheia e novamente se evoca a cigana que se deseja firmar, pedindo a ela que aceite aquele otá novamente e que seja sua mensageira na Terra, repetindo por três vezes seu nome de força.

Depois disso, arma-se um pequeno altar, como já foi explicado nesta obra, colocando-se a terrina por detrás com a areia, à sua frente uma taça branca transparente com o otá dentro e mais sete moedas antigas à volta do otá, saúda-se a cigana e alimenta-se aquele otá com óleo de almíscar naquele momento, devendo-se iluminar suas laterais com uma vela de sete dias branca do lado esquerdo do observador e outra da cor de vinculação de axé daquela cigana que se pretendeu firmar; pode-se não se conhecer a cor, nesse caso colocar amarela, vermelha, verde ou rosa, sempre de sete dias, até que seja definida a cor corretamente pela própria cigana.

À frente da taça e das velas coloca-se uma oferenda de frutas, de qualquer tipo e sem espinhos, cortadas, em um recipiente de vime, e doces finos, devendo-se iluminar com mais uma vela branca fina por, no mínimo, 24 horas. Passado esse tempo, despacha-se a oferenda debaixo de uma árvore frondosa e bonita iluminada com outra vela branca fina. Esse procedimento deverá ser repetido ao menos uma vez a cada 30 dias, devendo contudo alimentar-se o otá com óleo de almíscar uma vez por semana, sempre que possível no mesmo dia e horário, colocando-se ao lado da vela de amparo, que é a vela branca, um copo de água que será sempre dispensado e reposto a cada tratamento do otá, pedindo-se sempre muita sorte, axé e força. Todo tipo de firmeza ou magia deve ter presente sempre muita força interior, amor e muita confiança no que se está fazendo, momento em que as energias se alcançam e começam a se unir, causando o efeito esperado. Pode-se ainda, sempre que precisar, fazer seus pedidos especiais aos pés daquele altar cigano ou submetê-lo por escrito, para si ou para quem quer que seja, e colocá-lo por debaixo da taça no momento em que alimentar o otá, podendo tirá-lo quando conseguir o que pediu ou no próximo tratamento; tratando-se de um pedido difícil, é de muito bom senso fazer-se uma pequena oferenda no instante de sua submissão. Deve-se, ainda, sempre que puder, conversar naquele altar com muita naturalidade e fé, porque ali estará uma entidade de muita força e bastante luz. Recomenda-se, ao contrário do que habitualmente muitos fazem, não oferecer bebidas alcoólicas, que nesse instante estão substituídas pelo primeiro elemento da criação que é a água.

Recomenda-se, também, no primeiro tratamento após o oferecimento e a colocação do otá na taça, bem como sempre que for alimentá-lo semanalmente, fazer uma oração branda irradiando bons sentimentos, bem como fazer a oração proposta nas folhas seguintes desta obra em romanês com a respectiva tradução.

Como firmar o espírito de um cigano na direita

Cabem aqui neste procedimento as mesmas considerações feitas antes, quando se falou em firmar o espírito de uma cigana no ritual específico, uma vez que não carrega o procedimento e todo o seu contexto nenhuma diferença de ordem espiritual, salvo algumas peculiaridades específicas que aqui esclareceremos.

Para se firmar um espírito cigano, procede-se da mesma forma anteriormente descrita, com a diferença de que no instante das velas deverá se manter, conforme orientado, a vela branca de sete dias e a cor da vela de vinculação de axé do cigano deverá ser azul, vermelha, verde, lilás e jamais preta, tanto para ele quanto para a cigana.

Diferencia-se, ainda no momento do otá, que não deverá jamais ser colocado em nenhuma taça, devendo sim permanecer na terrina, ou ainda em uma cumbuca de barro ou de alumínio, por cima da areia do rio e ali ser alimentado o otá com as moedas antigas à sua volta, e também com óleo de almíscar. Na oferenda feita à sua frente, além das frutas deverá levar, em vez de doces finos, uma romã com sua parte superior talhada em seus quatro cantos. Devendo a oferenda após o prazo descrito também ser entregue debaixo de uma árvore frondosa, de preferência em uma praça bonita e que de dia mantenha bastante movimentação pública, ou ainda próxima a casas comerciais, iluminada no momento de sua entrega com uma vela fina branca, podendo se seguir todas as outras orientações, com relação a tratamento ou pedidos.

Finalmente, não se pode esquecer de afirmar que esse tratamento referenciado poderá sofrer as alterações que a própria entidade indicar, inclusive com respeito às bebidas alcoólicas, não se recomendando bebida rosê para ciganas, que nesses casos costumam aceitar licores, bem como os ciganos aceitam vinho tinto ou licor de anis.

Todo e qualquer agrado ou presente que se pretender fazer ou dar aos espíritos de ciganos firmados naquele altar pode ser seguido de sua respectiva imagem por trás da taça ou da cumbuca, respectivamente cigana ou cigano, bem como pulseiras, punhais sem corte, baralhos, peças preferencialmente de ouro, ou qualquer outro tipo de coisa que se pretenda presentear, ou que pertença à entidade e que é de seu uso em seus trabalhos, deverá sempre permanecer neste altar, próximo ao recipiente que carrega por dentro seu otá.

Não se costuma fazer cantigas de qualquer ordem nesses momentos, salvo aquelas que forem especificamente ciganas, bem como deve se dar a preferência a se fazer orações, sempre que possível, em seu próprio idioma. Não sendo isso possível, com certeza qualquer oração, em qualquer idioma, feita com o coração aberto, muito amor, intensidade no que se está fazendo, concentração e fé, deverá ser bem aceita.

É importante frisar que todo e qualquer feitiço, magia ou reza que se faz, deve seu feitor naquele instante desprender de si o máximo de energia que puder, concentrando-a e dirigindo-a ao que está fazendo, um dos grandes momentos da magia e do feitiço é a projeção forte, firme e bem visualizada da imagem nítida em sua mente de quem ou o que se pretende atingir, carregando naquele instante toda a emoção que puder expelir de seu coração, de seu corpo e de sua mente, intensificando-a o máximo possível a cada passo e a cada instante naquilo que se está fazendo. O emocional deve estar forte, intenso e firmemente dirigido ao que se deseja, convicto do que se quer, devendo transmitir isso, o máximo possível, ao ritual que se está praticando naquele momento.

Fato que não se deve esquecer a partir da colocação do otá no recipiente necessário da firmeza dos espíritos ciganos é um incensário seguido do respectivo incenso, que deverá estar 24 horas aceso, ou seja, por todo o tempo deverá o altar estar sob a égide da vibração provocada pelo incenso. Tratando-se de espírito de cigana e não se tendo ainda definido o tipo de incenso, recomenda-se deixar aceso sempre um incenso de rosa, emanando boas vibrações, ou de ópio, produtor de grande energização ambiental; tratando-se de firmeza e altar de um espírito cigano, deve-se manter incessantemente aceso o incenso de madeira ou de lótus. Quando aquele cujo cigano ou cigana estiver devidamente firmado sentir necessidade de promover uma purificação energética ou descarregar o ambiente onde está assentado seu altar ou mesmo em sua residência poderá, além dos incensos necessários e permanentes, acender um incenso de alecrim, ou ainda após ter mantido ou feito alguns rituais de qualquer tipo, poderá usar para melhor ambientar o lugar um incenso de mirra e deixar que queime até seu final sem interferência, sempre procurando não usar esses incensos extras em excesso para que não ocorra desestabilização vibratória naquele lugar ou ambiente. Podendo ser indicados esses tipos de incensos a quaisquer outras pessoas que se achem em situações semelhantes ou parecidas, bem como quando necessitarem. Podendo indicar-se às pessoas nervosas ou que estejam emocionalmente desequilibradas ou ainda em ambientes nervosos ou lares problemáticos que se proceda a queima de incensos de flor de laranjeira, e, bem assim contra a inveja, mau agouro ou pessoas negativas, o incenso mil flores. Quando se tratar de problemas relacionados à saúde, pode-se usar tanto o incenso de flor de laranjeira como o incenso de maçã verde; quando se tratar de pedidos de negócios ou melhorar a situação financeira ou empresarial, recomenda-se a queima de incenso de acácia; para assuntos relacionados a evolução, aprendizado e melhoramento espiritual, recomenda-se o incenso espiritual. Para provocar axé ambiental positivo e limpeza de pessoas ou lugares, recomenda-se a queima de incenso de alecrim para casos de amor; incenso de almíscar; e quando se pretender melhorar a relação mediúnica com seu próprio cigano ou cigana ou fortalecer-se mentalmente diante de algumas dificuldades, recomenda-se que se queime o incenso campestre. Entretanto, jamais se deve olvidar da necessidade indispensável, como justificado anteriormente nesta obra, de, no momento em que se acender em um incensário qualquer tipo de incenso provocando a estimulação vibratória no plano imaterial para com o plano material e seus efeitos, evocar um cigano seu conhecido ou preferido ou seu próprio mentor para ser dono ou destinatário daquela queima no incensário por motivos óbvios e de muita seriedade já explicados nas páginas passadas, obtendo-se assim a certeza de que caminhamos pela estrada certa, de forma correta e segura. Para meditação pessoal ou em grupos, recomenda-se a queima do incenso de lótus, promovendo assim um estado de elevação formidável e de concentração admirável naquela prática.

Oráculos Espíritos Ciganos

  Como já dissemos, os ciganos carregam consigo o dom místico da previsão e da magística, a história nos apresenta desde os tempos mais remotos a característica incontestável dos métodos utilizados por esse povo para levar todo tipo de mensagem às pessoas por todo o mundo. Fizemos referência a algumas das práticas comuns e mais conhecidas, contudo, outras existem cuja magística também se revela esplendorosamente através de seus costumes e seus clãs. Assim, vamos encontrar na cultura do povo cigano outros métodos muito pouco revelados e que normalmente são usados com discrição e menos frequência para os não ciganos e de valor indivisível para a espiritualidade e o mundo oculto, o que não impede, entretanto, que, uma vez conhecidos e consagrados possam também ser utilizados por não ciganos, dentro da sábia e conhecida "magia cigana". Entre eles, vamos encontrar dentro dos fenômenos de adivinhação espiritual o jogo de dados ciganos, o baralho cigano, a borra do café, etc. É interessante que, tal como todos os outros povos místicos, especialmente por sua origem e natureza enigmática, também carrega de maneira especial a cultura cigana espiritual sua magia e seus próprios oráculos e que são regidos diretamente por seus encantados e ordenados, através de seus encantamentos. Dessa forma, passamos então a explicar como se pode fazer uso desses segredos milenares, que por tanto tempo permaneceram guardados e preservados, portando altíssima importância. Recomendando-se sempre utilizá-los com todo o grau de responsabilidade, valor e respeito que possuem e merecem.

Procuramos simplificar o máximo possível para não provocar nenhum tipo de dificuldade, sem retirar, contudo, sua essência e originalidade, demonstrando de maneira simples como se proceder nas consagrações em questão, da mesma forma que simples é a tamanha beleza que carrega.

O Baralho Cigano

Estamos diante de um dos instrumentos mais utilizados pelos ciganos e que virou marca característica desse povo, uma vez que é um dos mais usados para ler a sorte dos não ciganos, assim como a leitura de mão e a borra do café. Há séculos os mais velhos vêm ensinando aos mais novos seus oráculos, e as ciganas meninas aprendem desde cedo, com as tias, avós, mães e a Puri Dei do clã cigano, seus mistérios. Na verdade, não existe uma consagração propriamente dita para esse instrumento, existe sim um ritual muito comum e a doação em forma de presente, quando se trata da espiritualidade e não dos ciganos encarnados, do cigano ou cigana responsável pelo axé da leitura do baralho para aquela determinada pessoa. Por isso costuma-se exercer um ritual de grande simplicidade, no qual se presenteia a entidade espiritual e se pede seu auxílio na interpretação das cartas, bem como se promove a energização das cartas para seu melhor desempenho. Assim, pega-se um pano virgem branco retangular e em cima dele se espalham as cartas ciganas em forma de leque deixando-as expostas ao sol para energizarem-se, com pedido de axé naquele baralho do cigano ou cigana a quem se pretende presentear com aquele jogo, por duas ou três horas. Em seguida, coloca-se o baralho já em posição normal, ainda em cima do pano branco, com um incenso de ópio do lado esquerdo e um incenso de madeira do lado direito do observador, isso tudo no altar cigano ou em um outro lugar reservado a esse feito, com dois cristais em forma de triângulo ou pirâmide, um em cada lateral, com uma bebida em uma taça, de preferência licor de qualquer tipo e uma vela verde simples, se for cigana, e, se se tratar de cigano, um copo ou caneca de alumínio com licor de anis ou vinho tinto e uma vela azul ou branca, um punhal banhado em água do mar sem ser enxugado, isto é, que secou sozinho e pedindo à entidade cigana que aceite aquele baralho cigano e o proteja e o ajude a interpretá-lo em suas consultas e leituras. No momento de leitura deve-se manter um pano vermelho onde se vai jogar o baralho cigano e o punhal deve sempre estar por debaixo desse pano próximo ao leitor, com uma vela na cor respectiva acesa ao lado de um copo de água que deve ser despejado na calçada das ruas assim que terminarem as consultas de forma que a água seja jogada em V, primeiro do lado esquerdo e finalmente do direito para descarregar-se e ao baralho.

Não se esquecendo de que se deve manter sempre aceso ao jogar um incenso de madeira e por vezes um incenso espiritual. Não devendo olvidar ainda que, sempre que possível, se deve fazer uma daquelas oferendas recomendadas nesta obra, respectivamente para o cigano ou cigana, agradecendo pela proteção. Mantendo-se o baralho sempre envolto no pano quando não estiver jogando e longe do alcance de outras pessoas para que não mexam nele. Podendo de tempos em tempos acender próximo ao baralho, que deve estar aberto em forma de leque, um incenso de benjoim. Sempre lembrando que a atividade em questão é característica de ciganas, o que não quer dizer que ciganos não a pratiquem. Contudo, é um costume antigo e que é levado a cabo na maioria das vezes por mulheres ciganas.

O Jogo de Dados Ciganos

Trata-se aqui de um oráculo que possibilita seu uso com muito mais frequência e a consulta de forma mais livre e sem as restrições mais sérias referidas aos espelhos ciganos. Contudo, carrega consigo o mesmo respeito e a mesma importância, devendo ser consagrado em ritual específico cigano e sempre que possível ao seu cigano ou cigana de proteção ou de trabalho. Não sendo isso possível, por falta de definição ou conhecimento, deve-se dirigir tal feito à falange dos espíritos ciganos ou a algum cigano ou cigana de preferência de quem procederá o ritual de consagração que se deseja iniciar neste oráculo.

Os dados ciganos também são de uso milenar e seguem na tradição cigana sendo usados sempre para resolver questões internas ou de interesse do próprio clã, sendo usados também para consultas livres em determinadas regiões. Carregam um poder de resposta incomparável e ajudam bastante na vida diária das pessoas, principalmente em questões espirituais, podendo-se fazer a pergunta que desejar, sendo certo que devem sempre se tratar de perguntas específicas para obtenção de respostas rápidas e que devem ser interpretadas por seu iniciado ou jogador. Trata-se na verdade de um oráculo, também suportado na numerologia cigana, que tem seu uso frequente nas previsões e nos rituais de "magia cigana", bem como naqueles casos em que a soma de seu resultado e seu mistério fundamentam seus feitos místicos.

Consagração

- Três dados de marfim
- Um lenço retangular azul
- Um lenço retangular vermelho
- Um pote pequeno de cobre
- Água da cachoeira
- Pó de ouro
- Pó de cobre
- Pó de prata
- Uma vela de sete dias azul
- Linha de costura dourada virgem
- Uma agulha de costura dourada virgem
- Um copo de cristal virgem
- Velas vermelhas e azuis (simples)
- Tabela de numerologia cigana, a seguir fornecida
- Incensários

Procedimento

Aquele que desejar ter consagrado seu jogo de dados ciganos deverá pegar os três dados de marfim, o pote de cobre e lavá-los com água de rio, limpa, se possível no próprio rio. Em seguida, colocar os dados dentro do pote sem secá-los, enchendo nesse instante o pote com os dados de arroz branco feito só na água e cobrindo-o com mel. Devido, deve-se enterrá-lo fechado na beira de uma cachoeira, acendendo uma vela simples branca por cima de onde estiver enterrado e pedir licença aos donos do lugar para o que se está fazendo. Na sequencia, deve-se fazer uma oração cigana ao cigano ou cigana a quem se pretende dar o jogo e pedir a consagração dos dados naquele pote. Na falta desses ciganos, fazer o pedido à falange cigana ou ao cigano(a) de sua preferência. Em seguida, fazer no mesmo lugar uma daquelas oferendas especiais para um cigano ou uma cigana, já referida nesta obra, e iluminar conforme recomendado, deixando ali por três dias e três noites. Passados os dias em questão, despachar a oferenda ali colocada na água corrente da própria cachoeira, desenterrando o pote com os dados e a comida. O arroz e o mel deverão ser retirados nesse instante com as mãos cantando-se para ciganos e saudando-os, e despachada também naquela mesma água corrente. Os dados e o pote de cobre devem ser bem lavados nas águas correntes da mesma cachoeira. Após a lavagem, deve-se encher o pote daquela mesma água e colocar dentro dele os três dados de marfim limpos, deixando-os assim em um altar cigano ou, na sua falta, sobre um pano branco, colocando dentro do pote uma pitada de pó de ouro, uma pitada de pó de prata, uma pitada de pó de cobre e iluminá-lo com uma vela azul de sete dias, oferecendo ao cigano ou cigana cuja consagração foi pedida, ou conforme já explicado anteriormente. Quando se tratar de cigana, a vela deverá ser da cor vermelha, deixando ali por sete dias, mesmo que a vela acabe antes, com incenso de ópio. Ao final dos sete dias, retirar os dados de marfim do pote de cobre e lavá-los juntamente com o pote em água mineral, sem gás e sem gelo (natural), devendo-se despejar a água da cachoeira contida nele com os pós que ali permanecerão por sete dias na raiz de uma árvore bonita e frondosa, colocando os dados de volta no pote. Passará então aquele jogo a pertencer ao cigano ou cigana que o recebeu e o consagrou a partir daquele momento, e não a quem está procedendo ao ritual do jogo. Em seguida, deve-se pegar os dois lenços retangulares virgens e desenhar em seus centros, com a agulha virgem dourada e a linha de costura dourada, uma estrela de seis pontas e com a mesma agulha e a mesma linha desenhar no centro das estrelas um hexágono. Depois de tudo isso feito, juntar os dois lenços já desenhados e costurá-los com a mesma linha e a mesma agulha, de maneira que permaneçam na forma de dupla face, perfazendo-se em um só lenço.

Deixar esse lenço debaixo do pote de cobre com os três dados de marfim dentro dele, de forma que fique em cima do desenho da estrela e ao seu lado ilumine com uma vela simples da cor respectiva ao cigano(a). Se se tratar de cigano a vela é azul, se se tratar de cigana a vela é vermelha, acendendo-se o incenso de ópio de cada lado do lenço. Se for cigano o dono do jogo, deve permanecer voltado para cima o lado do lenço azul; se for cigana a dona do jogo, deverá permanecer voltado para cima o lado do lenço vermelho, pedindo ao cigano ou cigana dono do jogo que imante com sua energia e magia aquele oráculo, permitindo que possa fazer uso dele para jogar para si ou para outros e tratar de assuntos diversos em seu uso e evocação, inclusive assuntos afeitos à espiritualidade e que possa seu dono ou dona responder no jogo sempre que desejar, e fornecendo a intuição ou a vidência necessária para interpretação correta da numerologia aplicada àquele jogo. Após um dia (24 horas), retirar de baixo do pote o lenço e cobrir com ele o pote, deixando voltado para cima o lado do lenço respectivo ao dono ou dona daquele jogo de dados cigano. Quando o dono do jogo for cigano, jogam-se os dados no lado do lenço azul; quando for cigana, jogam-se os dados em cima do lado vermelho do lenço.

Como jogar

Para se jogar, deve-se estender o lenço do lado e cor corretos e correspondentes ao dono do jogo e os dados deverão cair em cima dele e sempre que possível na estrela de seu centro. Quando o dono do jogo for cigano, deve-se acender ao lado do lenço do oráculo uma vela azul, quando for cigana deve-se acender uma vela vermelha, fazendo uma oração e pedindo que naquele instante possa abrir o jogo e responder naquele oráculo. Em seguida, coloca-se um copo de cristal com água mineral, sem gás e sem gelo (natural), do seu lado esquerdo, que vai ao lado do lenço, acende-se um incenso de ópio, e do lado direito coloca-se uma maçã verde. Pronto, está preparado o jogo para consultas.

Para consultar

Deverá o olhador, isto é, o jogador, chacoalhar em suas mãos os três dados e pedir por aquela consulta. Em seguida deverá pedir ao consulente que abra as mãos para depositar os dados nelas. Deverá, então, o consulente segurar por dentro de suas mãos unidas os dados e, concentrando-se, pedir que o cigano ou cigana atenda seu pedido de ajuda para esclarecer suas dúvidas e se for o caso indicar-lhe um caminho através de seu jogador e olhador do oráculo. Depois disso, devolve-se os dados ao consultador, que deverá concentrar-se e iniciar sua tarefa, mexendo e balançando os três dados por entre suas mãos, jogando-os por cima do lenço para a consulta, podendo prosseguir nela o tempo que sentir necessário. Com o tempo, perceberá o olhador que acabará afeiçoando-se ao oráculo e descobrindo sua maneira peculiar de jogar, sendo orientado e sentindo como deve fazê-lo, criando uma aproximação e um entendimento maior com o jogo. Quando estiver terminada a consulta ou as consultas, os três dados deverão ser lavados com a água do copo de cristal, ao contrário do que se costuma fazer em outros oráculos, devolvendo-os a seguir para dentro do pote de cobre, onde deverão sempre estar guardados e cobertos com o lenço, conforme já foi explicado. A maçã verde deve ser entregue ao pé de uma árvore. Recomenda-se que o oráculo permaneça sempre no altar cigano, e em sua ausência, em algum lugar onde não possa ser tocado por ninguém a não ser por seu olhador, sempre por cima de um pequeno pano branco.

Atenção, enquanto durar o jogo, deve-se sempre manter a vela respectiva acesa e o jogo incensado, agradecendo-se ao final ao cigano ou cigana do jogo, antes de fechá-lo e devolvê-lo ao pote de cobre e cobri-lo com o lenço.

O jogo deverá sempre passar pelo mesmo processo inicial de oferenda e de ser enterrado ao pé de uma cachoeira, de preferência a mesma da primeira vez, seguindo o mesmo ritual já anteriormente detalhado quando do pedido de consagração. De ano em ano, impreterivelmente, e sempre que se sentir necessidade deve-se acender ao seu lado um incenso de benjoim para descarregá-lo. O que significa que de ano em ano deve ser oferecido o mesmo ritual, somente não se pedindo a consagração, mas fazendo exatamente como da primeira vez, o que não quer dizer que não se possa fazer um agrado vez por outra ao seu cigano ou cigana donos do oráculo, em frente ao lugar em que estiver o jogo.

Leitura do jogo

O jogo deve ser lido com tranquilidade e baseando-se na soma total do número que sai em cada dado. Assim, se por exemplo sair no primeiro dado o número 1, no segundo dado o número 3 e no terceiro dado o número 4, teremos de sua soma total o número de interesse para a interpretação do oráculo que é o número 8, buscando seu significado inicial na tabela numerológica cigana e fazendo as combinações que forem necessárias ao longo das outras quedas. Recomenda-se jogar pelo menos três vezes para o mesmo assunto quando se tiver dúvidas sérias a respeito e proceder a interpretação de acordo com os números, buscando a interferência necessária e possível do dono e mentor do jogo, para chegar a uma conclusão mais segura.

Para se obter uma resposta incisiva e direta, perguntando-se diretamente a respeito de determinado assunto ou ainda dúvidas de qualquer outra queda ou simbologia, utilizam-se os números 4, 8 ou 12, que, se somados totalizarem qualquer um dos números acima, a partir da queda dos três dados juntos, significarão a resposta direta SIM, o que quer dizer, *contrario sensu*, que, se a soma total das quedas não somar nenhum desses números, teremos a resposta direta e simplificada NÃO, para o que desejamos saber. Melhor informando, a soma total dos três dados na pergunta direta somou 4, 8 ou ainda 12 se a resposta para o que se pergunta é sim, e se ao contrário, a soma total não registrou nas quedas dos dados nenhum desses números, a resposta é não. Atente que a soma desse resultado não se confunde com os números da tabela numerológica e servem apenas para perguntas diretas e incisivas, que ensejam respostas do mesmo nível, sim ou não, até mesmo para ajudar ou tirar dúvidas do jogador em meio às quedas normais no jogo, quando precisar orientar-se melhor. As quedas, regra geral, determinam em sua soma total o resultado do que se deve buscar na tabela normal.

O oráculo dos dados ciganos respondem na verdade a perguntas específicas e sem divagação, proporcionando uma leitura fácil e de boa interpretação no que se espera e se quer.

Assim, a leitura procede-se com a soma do total, perfazendo-se a partir do número 3 ao número 18, conforme a tabela a seguir exposta.

Numerologia cigana aplicada ao oráculo dos dados ciganos

Número da soma total:

3 – Êxito = iniciativa, fecundidade, sucesso, fartura, empenho, força de vontade.

4 – Realização = conselho, orientação, fé, espiritualidade, poder de vontade, representação dos sentidos, resultados positivos.

5 – Intuição = conselho, orientação e ajuda espiritual, mediunidade, amizade de pessoa, influência, segurança, firmeza, perseverança.

6 – Indecisão = cautela, confusão, dualidade, amantes, insegurança, negativismo.

7 – Conquista = inteligência, prosperidade, vitória, realização espiritual, positivismo.

8 – Equilíbrio = justiça, perseverança, lealdade, sensatez.

9 – Prudência = sabedoria, experiência, mistério, moralidade, atenção.

10 – Riqueza = sorte, fé, autoconfiança, ascensão e queda.

11 – Vitalidade = energia, violência, bravura, liberdade, sensualidade, poder de persuasão forte.

12 – Sofrimento = privação, problemas, tristezas, rupturas, mudanças.

13 – Destruição = Morte, decepção, separação, renascimento no casamento, amoroso.

14 – Mudança = transmutação, revolução, tentações, perigos, ameaças, movimentação.

15 – Mistério = magia, fatalidade, problemas, espiritualidade, iniciações, dívidas.

16 – Acidente = castigo, perdas, derrota, perigo, traição, inimigos.

17 – Esperança = luz, lucidez, realização, recompensa, herança, ouro, harmonia, ligação amorosa, lealdade, felicidade.

18 – Azar = feitiço, magia negativa, trevas, traição, rupturas, decepção, problemas amorosos, falsidade, mentiras.

Magia Cigana

Muito se tem ouvido sobre magia ligada ao povo cigano; contudo, este é tema de altíssima dificuldade em se discorrer, máxime por se tratar de assunto objeto de toda uma cultura, vivência e experiência, cuja abordagem e penetração é praticamente impossível. Não raras vezes, percebe-se que muitos propagam essa prática sem conhecê-la, apenas inovando ou criando por meio de informações paralelas e incompletas, buscando com isso determinar práticas que não são da cultura e dos hábitos ciganos.

É forçoso afirmar-se que magia, na verdade, é a arte de transformar, é um estado, um exercício, uma escola onde o aprendizado é o estado permanente, é a flor desabrochando, a vida em atividade, a cozinha em andamento, a arte de mudar o estado das coisas em silêncio, é causar efeitos visíveis, a partir de causas invisíveis. Não pretendemos em tempo algum definir o que é magia, entretanto, faz-se necessário estabelecer um caminho ou um parâmetro para prosseguirmos; longe de nós conceitos e definições. Magia é magia, não importando sua escola ou origem, com muitas subdivisões e ramificações; contudo, não há como se dizer magia disso ou daquilo; basta ser magia, que é magia.

Magia, pode-se dizer, é a arte de a partir de uma manipulação nossa provocar mudança no mundo exterior.

Desde os primórdios da humanidade, encontram-se relatos de situações em que pessoas com dons especiais promoveram fatos especiais.

Ao longo da história, muitas são as escolas que cuidaram e cuidam dos rituais magísticos e suas explicações e mistérios. Muitos mestres se apresentaram contribuindo de maneira ímpar para o conhecimento e a evolução humana.

Destarte, ao longo do tempo, muitas são as culturas, os povos e as doutrinas que se ocuparam do tema. Sendo assim, notam-se semelhanças em muitos rituais e caminhos adotados para se percorrer o aprendizado, cada qual em sua forma e com suas peculiaridades, denotando dessa maneira uma grande contribuição e efeitos incontestáveis, que somente o conhecimento e a longa estrada percorrida justificam.

Assim sendo, é temerário afirmar-se onde o efeito é mais plausível, porque todos são igualmente valorosos, desde que tratados com responsabilidade, conhecimento e respeito. Avaliar um povo, uma cultura, é algo muito preocupante; a arte de se viver o que se aprende é muito mais difícil; assim, é temeroso afirmar-se que o fato de iniciar-se em alguma escola ou tão somente pesquisá-la nos traz diferenças e possibilidades de promover fatos inexplicáveis. Tudo está muito além disso; quanto maior for o envolvimento, maior se torna o compromisso com a responsabilidade e a verdade e, consequentemente, seus efeitos sobre nós e todas as coisas. Pretender mudar um estado de coisas já existente é pretender mudar toda uma estrutura previamente estabelecida, que certamente encontrará resistências e um dono, efeitos complicados e merecedores de muita experiência e vivência real na arte da transformação.

A história do homem testemunha fatos, efeitos e ensinamentos que nos dão conta dessa atuação. O oculto e os mistérios sempre foram temas de grande perseguição pelo homem e busca insaciável, vasta é a literatura que cuida disso e demonstra a dificuldade e os esforços em tentar explicar o inexplicável por mestres de poderes e conhecimentos incomparáveis, cujas vidas testemunharam tal mister.

Do mesmo modo, tanto quanto muitos povos se ocuparam da arte da magia, ocupou-se também a esfera espiritual magística, que é uma legião de muito conhecimento e mistérios, cuja curiosidade e admiração por parte de todo mundo possuem até hoje.

Outrossim, não basta saber como se faz essa ou aquela magia, é preciso vivê-la e transformar-se com ela também. É, na realidade, um admirável sacerdócio do aprendizado, cujo retorno, quando bem aplicado, é de valor inestimável.

Na verdade, o dom magístico acompanha esse povo e lhe outorgou um grande legado nas esferas espirituais, promovendo em sua egrégora a substância universal de transpor e promover feitos místicos magísticos, sagrando seus adeptos da mesma forma que outras egrégoras também o fazem nesse plano o que possibilitou sem dúvida o legado das falanges espirituais no ensinamento da arte mística de transformar.

Como toda atuação mágica, a grafia universal é fundamental e carrega na forma escrita a identificação magística necessária, tanto quanto qualquer outra cultura mística e espiritualizada, portando conceitos e usos algumas vezes semelhantes e outras, diferenciados. Como não poderia deixar de ser, por se tratar de atividade própria, oriunda de suas origens e seus costumes. Sendo assim, encontraremos símbolos e gráficos já conhecidos por atuantes nesse mister, entretanto, de segmento diverso e com o mesmo potencial de resultado.

Dentre as modalidades estudadas de práticas magísticas levadas a efeito mais precisamente à sua mística, sabemos que são muitas, desde a utilização de vários oráculos até o culto aos seus ancestrais Neste trabalho, faremos uma referência breve e que será alvo de nossos exemplos, sobre a manipulação direta da escrita mágica, representada pelos símbolos e gráficos místicos que carregam toda uma mágica milenar, sendo, portanto, portadores de um coletivo incontestável no universo místico e entre os homens, máxime em seus gráficos astrais e semelhantes a grafias riscadas de outras falanges, mas com fins diferentes.

Como sabemos, os ciganos atravessaram pelos milênios e séculos vários povos, com culturas geográficas e tradicionalmente de todos os tipos, por assim dizer, carregando para si grande volume de informações, sem contar que sempre mantiveram em sua própria cultura grande sabedoria e informações oriundas de sua própria raiz, seu próprio povo e passado, que os acompanha até hoje, proporcionando grande contribuição e conhecimento aos seus costumes e práticas, incorporando seu *modus vivendi* e suas tradições.

Assim, é imprescindível que se lembre de que toda e qualquer prática traz em sua base a força e o endereçamento de seus ancestrais, ou seja, da espiritualidade, cujo amparo e fidelidade são admiráveis.

Práticas Magísticas

Na realidade, o que se pretende a seguir é demonstrar algumas formas de se realizar, a partir de gráficos de evocação universal fechados sempre por um círculo, a ritualística para algumas práticas, de única e exclusiva responsabilidade de quem as faz.

A bem da verdade, tanto quanto em toda a universalidade existente da individualização, assim também se propaga na ordem magística e geral de todas as coisas, a incontestável e indelével interação entre o ser e os atributos da criação e do universo místico conhecido.

Dessa forma, é sabido que todo ser é único e provido de sua individualidade, atributo divino e intransferível, provendo-se, outrossim, em todos os seus movimentos, vida, atos, origem, etc., da lei da unicidade universal do ser. Sendo assim, do mesmo modo que se individualiza dos outros seres, em sua forma densa da matéria, ou seja, pela impossibilidade de ser confundido por suas características particulares e únicas existentes em seu corpo físico, como suas impressões digitais, por suas marcas contidas nas palmas de seus pés, em sua íris, bem como por suas impressões mentais e energéticas, também carrega consigo suas marcas e impressões de origem, de seu princípio ativo, isto é, de seu princípio original, carregando em seu ser abstrato suas impressões do início, as quais declaram sua unicidade no ambiente universal, proporcionando o reconhecimento e o *feedback* necessário, na dinâmica infindável da Lei Divina, ou, melhor dizendo, "**são as marcas deixadas por onde passamos**".

A priori, seria indispensável que nossa marca pessoal se mantivesse a cada passo, alcançando o que existe ao nosso dispor nos caminhos universais, sempre sob nossa inteira responsabilidade, implantando-se assim nosso Eu pessoal e original, com o que lhe é devido a cada ato magístico voluntariamente e não subliminarmente, como em geral ocorre, uma vez que em tudo o que se faz fica sempre nossa marca, denotando a infalível unicidade do ser. Esse fato nos proporciona maior e mais segura interatividade com nossos ancestrais, por seu poder inerente de atração e compatibilidade.

Na presente prática, o que se pretende na verdade é exatamente alcançar os atributos místicos de origem e que são legados universalmente à egrégora cigana, desejando aproximar-se de seus ancestrais, cujos nomes de força hoje são amplamente divulgados.

Todavia, não podemos olvidar que, seguindo-se a teoria universal das formas, essas individualidades e evocações são retratadas mediante a grafia formatada, de acordo com o alvo desejado e em consonância com o símbolo pessoal identificador de origem e de forças. Dessa forma, a grafia pessoal é fundamental, destacando-se por sua característica de pessoalidade e por sua própria natureza intransferível, manifestando-se pela forma alinhavada, pelos símbolos pessoais designadores da origem e identificação, causando o efeito necessário.

Isso quer dizer que cada um de nós possui manifestado seu próprio símbolo pessoal, identificador de origem, identidade, egrégora, atributos, etc., como se fosse a impressão digital do espírito e de sua essência pessoal, isto é, a partícula individualizadora de cada um e que jamais se confundirá com outro, por não serem iguais nunca, destacando seu princípio de origem e de originalidade. A marca de cada um escrita na grafia universal individualizadora, "a escrita magística de cada um", designando a pessoalidade e proporcionando a dinâmica divina da criação.

Grafia=pessoal=intransferível=magística.

Signo pessoal=sinal=símbolo.

Signo=poder de evocação=poder de atração=efeito =resultado.

Grafia de força=origem=identidade=atração=efeito= resultado.

Sinal=identidade junto ao poder de atração=resultado.

Bem, como não é possível pelo presente trabalho, que é geral, buscarmos ou tentarmos estabelecer a identidade pessoal (símbolo) de cada um que ainda não a possui. Por meio de sugestões, tentaremos propor alguns gráficos de força, cujo coletivo magístico já os tem absorvido de longa data, para que possamos iniciar nossas buscas e práticas magísticas inseridas no coletivo e na egrégora ancestral. Para tanto, utilizaremos sempre um círculo e, dentro dele e como pano de fundo, sempre reproduziremos a estrela de seis pontas como ponto de partida para alcançarmos o que desejamos e, a partir daí, colocaremos em cima e no meio da grafia da estrela algumas ferramentas sagradas, que à primeira vista podem parecer práticas ofertatórias, mas com toda certeza não são, representando apenas a instrumentalização necessária, criando o ambiente sagrado mágico que se pretende atingir nas famílias ancestrais dessa digna egrégora, longe de desejar-se com isso vulgarizar ou tornar comum seu uso.

A cada círculo, com as práticas apresentadas, estaremos informando como chegar a uma conclusão a respeito de um possível resultado do que se deseja alcançar, transformando o interior do círculo em um ambiente capaz e instrumentalizador dos caminhos da magia.

Agradecemos desde já ao nosso mestre cigano, Pablo, que a todo tempo tem nos proporcionado tal intento.

Informamos que o círculo, bem como o conteúdo inserido nele com os pedidos, pode ser feito em qualquer lugar, sem preocupações de resquícios ou de rituais mais sofisticados, peculiaridade da própria essência. Após seu uso, deve-se apenas passar um pano úmido onde foi feito o ritual, para desligar-se de vez da esfera magística que se evocou, esclarecendo-se por fim que basta o gráfico desenhado e realizada a prática sem maiores complicações, que por natureza disparam-se as evocação naturalmente. É certo que, sempre que for possível, é de grande valia fazer-se uma oração, como as que inserimos nesta modesta obra, como forma de agradecimento e louvação a quem se faz algum pedido.

Esclarecemos, por fim, que ao contrário de outras formas de práticas magísticas, não se trata aqui de forma independente de ritualística, mas, sim, de prática evocatória ancestral e espiritual.

Deve-se sempre respeitar o tempo proposto em horas e o material solicitado para inserir no círculo, para que se tenha maior chance de êxito no que se faz.

Rogamos que não se utilize desses expedientes em prejuízo de ninguém, o que, sem dúvida, acarretaria muitos males ao seu feitor, sem contar que, em nenhum momento, essa seria a intenção de nosso presente trabalho. Lembremos que, embora não esteja inserido o signo pessoal de cada um, que só se pode obter mediante uma cerimônia de consagração, no momento da elaboração e da prática contida no círculo, com certeza estará sua identificação pessoal, proporcionando o reconhecimento individualizado e a força do dinamismo implacável da Lei Divina, bem como o respeito que devemos ter por esse povo espiritual maravilhoso.

Gráficos sagrados magísticos
Energização do símbolo

Mínimo: 12 horas

1. Vela egrégora

2. Incenso de ópio

3. Copo com água

4. Incenso espiritual

5. Taça com anis (comum)

6. Vela branca ou azul

7. Incenso de flor-do-campo

Energização nossa – após consagração

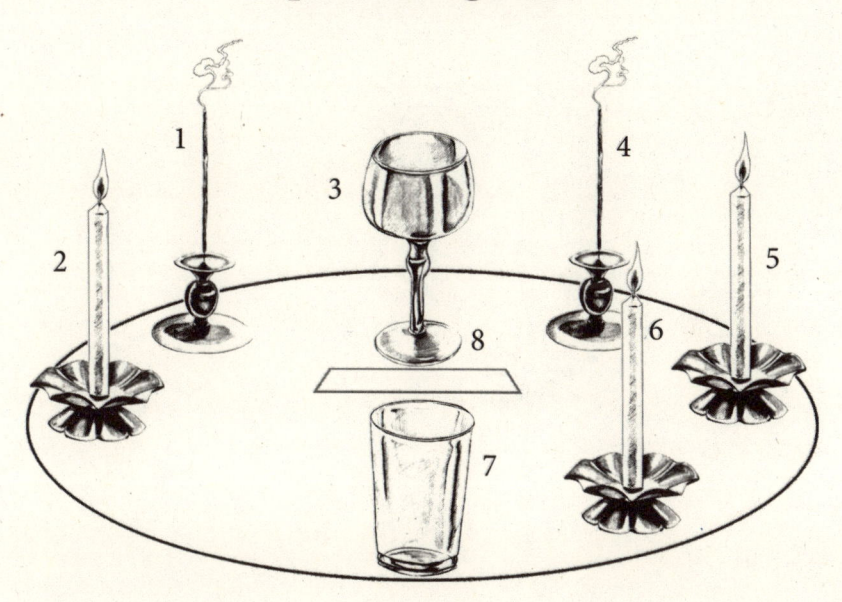

Saudar a egrégora cigana

1. Incenso de ópio

2. Vela egrégora

3. Taça virgem com anis (de cobre ou de cristal)

4. Incenso de ópio

5. Vela Azul

6. Copo com água – pôr um pouco de mel na água

7. Nome escrito a lápis

Consulta para saber se a pessoa tem feitiço ou não

responda na água

1. Vela branca na frente do símbolo

2. Incenso de ópio

3, Copo com água (água estabelece relação com a pessoa)

4. Taça com anis

5. Incenso espiritual

6. Nome escrito a lápis

Resposta à consulta

1- Água Abaixar: problemas físicos, cansaço, saúde, não tem feitiço;
2 - Água borbulhar: problemas psicológicos e amorosos, somatização, desequilibrio emocional, problemas de casamento e interferências;
3 - Água intacta, incenso que queima rápido (consome energia com rapidez), vela branca que queima rápido e chora: a pessoa está debilitada espiritualidade;
4 - Quando o anis Abaixar muito: trata-se de um grande feitiço.

Cortar Feitiço

Mínimo: 12 horas

1. Vela egrégora

2. Incenso de flor-do-campo

3. Copo com água

4. Punhal de cobre – Por cima do punhal, coloque um pano vermelho e, por cima do pano, o nome escrito a lápis

5. Taça com anis ou vinho tinto

6. Incenso de madeira

Desânimo – mau humor/ infelicidade

Para a pessoa se sentir mais feliz.

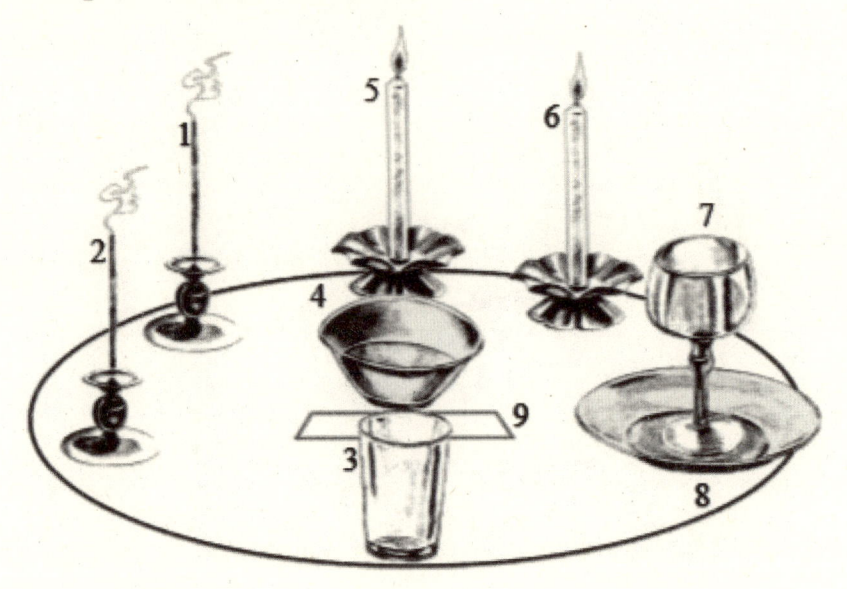

Mínimo: 60 horas

1. Incenso de rosa

2. Incenso de jasmim

3. Copo com água (pode colocar um pouco de mel)

4. Tigela branca ou de cobre, com creme doce (qualquer creme, pode ser *chantily*)

5. Vela egrégora

6. Vela azul

7. Taça com anis

8. Prato embaixo da taça (ativa o princípio feminino)

9. Nome escrito a lápis

Reenergização
– cansaço – estresse –
esgotamento mental

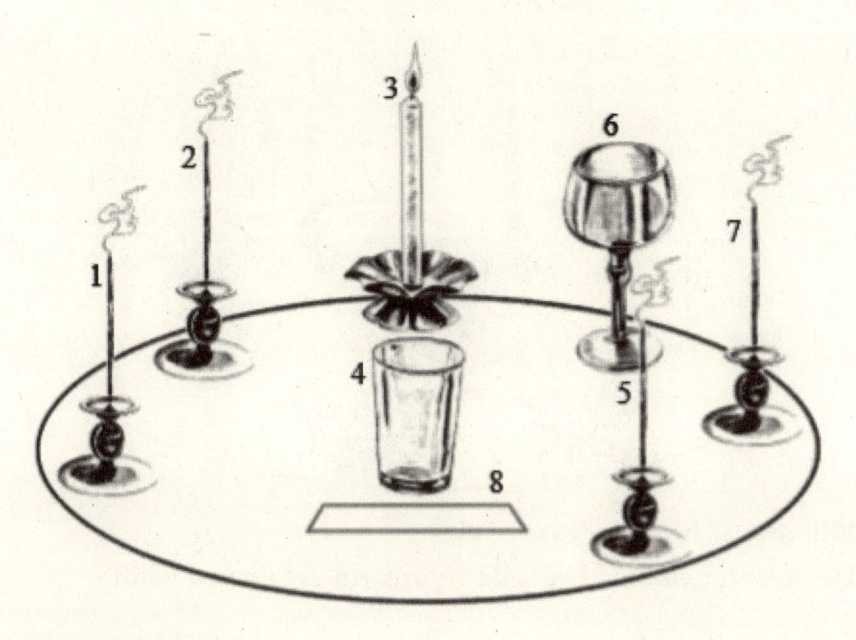

Mínimo: 6 horas
Se puder, deixar 12 horas

1. Incenso de ópio

2. Vela branca

3. Copo com água

4. Incenso de flor-do-campo

5. Taça com anis

6. Incenso espiritual

7. Nome escrito a lápis

Para Amor

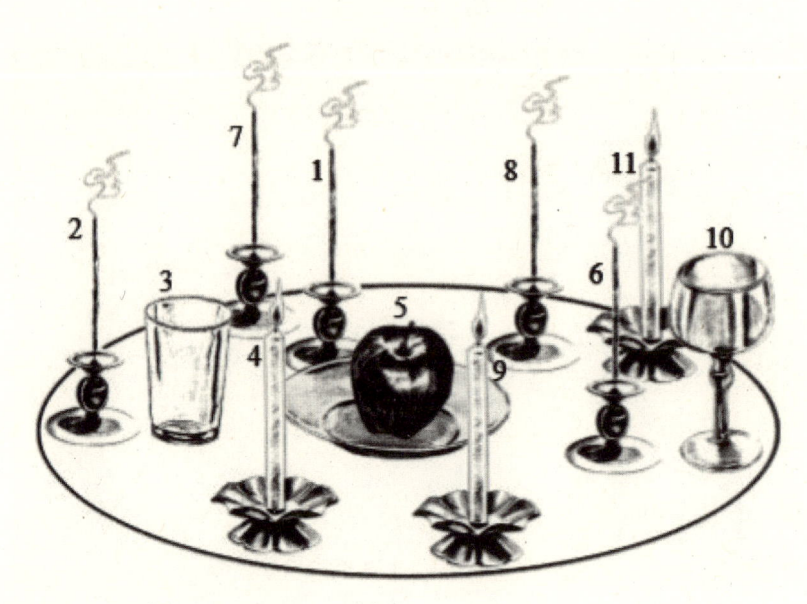

Mínimo: 12 horas – Prazo: 7 dias
Descarregar embaixo de uma árvore, em uma praça bonita

1. Incenso de rosa

2. Incenso de jasmim

3. Copo com água – Representa pessoa física

4. Vela branca

5. Pegue dois pedaços de papel, um com o nome dele e outro com o nome dela (sempre escrito a lápis); enrole um deles, fazendo um canudinho e enrole o outro por cima e passe no açúcar. Faça uma passagem no meio da maçã e encaixe esse canudinho. Coloque mel, feche com a tampa da maçã e coloque no prato de cobre. Em volta da maçã, coloque pedaços de romã picados. Jogue essência líquida de almíscar e jogue em cana.

6. Incenso de flor-do-campo

7. Incenso egrégora

8. Vela egrégora

9. Taça com anis

10. Vela azul

Ganhar dinheiro

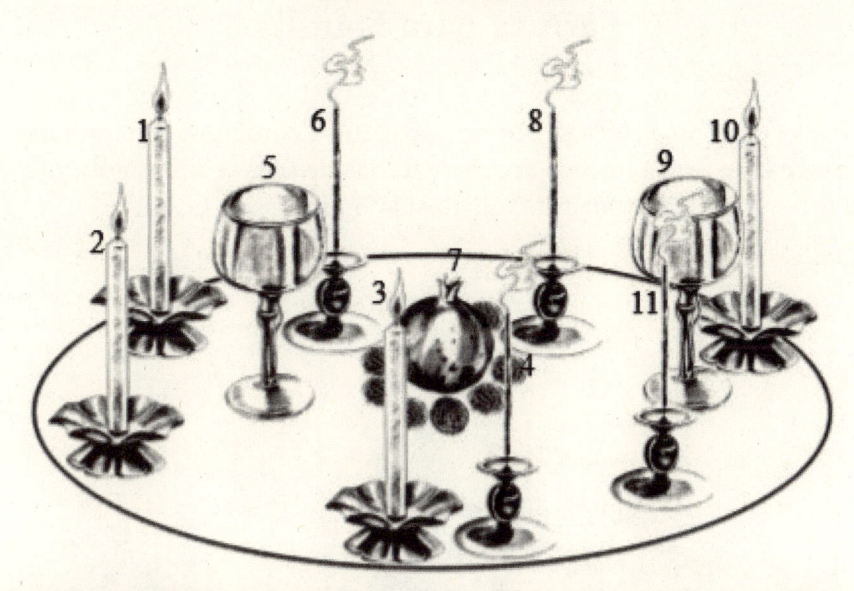

Tempo: 6 horas. Se precisar repetir, aguarde no mínimo 20 horas
Despachar: retire as moedas, coloque a romã e o arroz (se for fartura para a família, coloque em uma praça, embaixo de uma árvore)

1. Vela branca

2. Vela vermelha

3. Vela egrégora

4. Incenso egrégora

5. Vinho vermelho (de boa qualidade)

6. Incenso de ópio

7. Corte a romã na parte de cima em quatro partes e faça o mesmo sinal com o punhal, sem cortar, apenas passado pelos cortes. Coloque arroz em cima do sinal. Em volta, coloque moedas antigas (douradas)

8. Incenso de ópio

9. Taça com anis

10. Vela azul

11. Incenso de flor-do-campo

12. Nome embaixo da romã (escrito a lápis)

Ganhar Dinheiro
Fartura para Família

Faça como no anterior, porém substitua a romã por um pote de cobre com arroz branco cru, sete folhas de trigo e umas gotas de mel. Coloque sete moedas de maior valor (atual)

Receber dinheiro de alguém

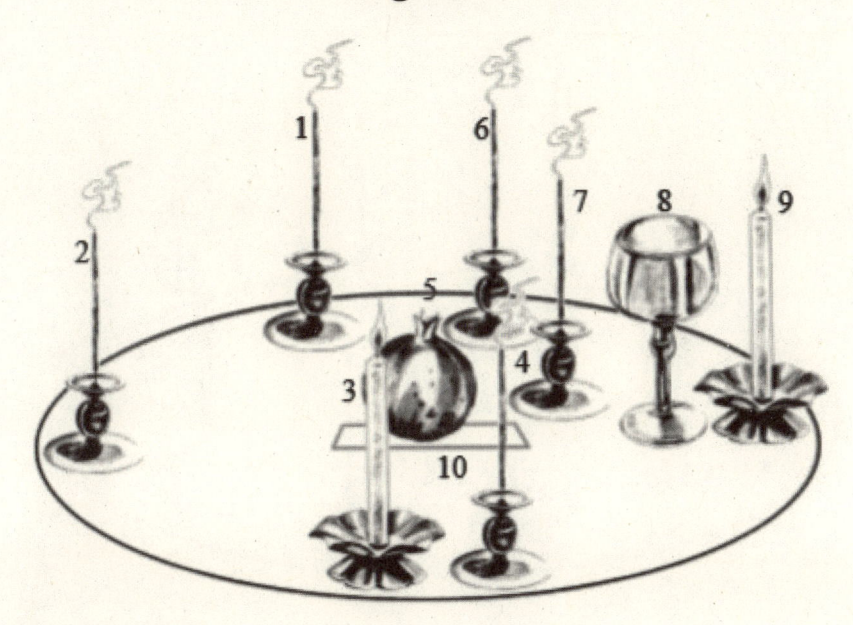

Tempo: 6 horas
Pode repetir até receber o dinheiro

1. Incenso de ópio

2. Incenso de madeira

3. Vela egrégora

4. Incenso egrégora

5. Coloque o nome da pessoa ou da empresa embaixo da romã (escrito a lápis)

6. Incenso de ópio

7. Incenso de patchouli

8. Taça com anis

9. Vela azul

10. Nome escrito a lápis

Saúde

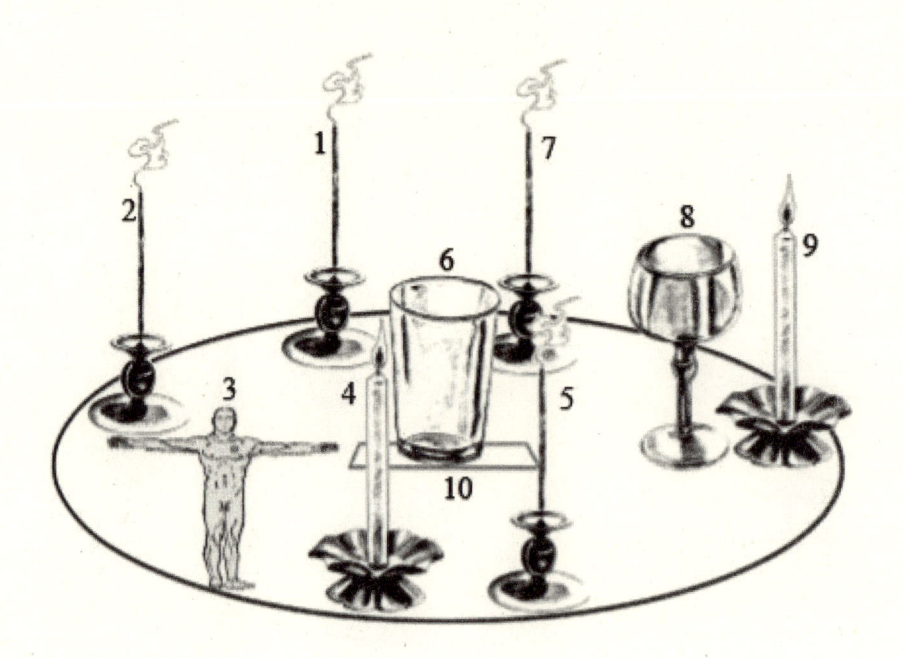

Tempo: 6 horas
Se for grave, 12 horas

1. Incenso de ópio

2. Incenso de laranjeira

3. Desenhe uma pessoa e faça um círculo em volta do local doente

4. Vela egrégora

5. Incenso egrégora

6. Copo com água

7. Incenso de ópio

8. Taça com anis

9. Vela azul

10. Nome escrito a lápis

FIM

Boa sorte a todos que tiveram lido e apreciado este livro!
Nelson Pires Filho
Presidente da Federação E. Guardiões da Luz
www.guardioesdaluz.com.br

MADRAS® Editora

Para mais informações sobre a Madras Editora,
sua história no mercado editorial
e seu catálogo de títulos publicados:

Entre e cadastre-se no site:

www.madras.com.br

Para mensagens, parcerias, sugestões e dúvidas, mande-nos um e-mail:

marketing@madras.com.br

SAIBA MAIS

Saiba mais sobre nossos lançamentos,
autores e eventos seguindo-nos no facebook e twitter:

@madrased

/madraseditora